컬러수비타로카드

COLOR NUMEROLOGY
TAROT CARDS

컬러수비 타로카드

대표 저자 이미정, 우수옥, 김은미, 박경화, 소난영, 정보나, 장혜선, 모연미
공동 저자 민현숙, 김연선 **대표 자문** 최지훤 **자문** 서경은, 성영미

목차

수년 전 『컬러타로 상담 전문가 – 1기 트레이너 자격 과정』이 2021년 5월~6월 서울 경기대 평생교육원에서 진행된 이래, 많은 컬러타로 전문가가 배출되었다. 독자들의 컬러타로 상담카드(COLOR TAROT COUNSELING CARD) 구매 수요를 보아도 그 인기를 실감할 수 있다.

최근에는 『타로 수비학 전문가 – 1기 트레이너 자격 과정』이 2024년 4월~5월 서울 경기대 평생교육원에서 엄청난 관심으로 진행됐다.

이 두 『1기 트레이너 자격 과정』 수강생 대부분은 서울, 경기, 충북 등 국내 전역에서 대학 강의를 하고 있는 타로 상담, 교육 전문가 및 타로 전문가 자격을 소유하고 있는 타로 상담 전문가였다. 이 컬러타로, 타로 수비학 트레이너분들은 이미 타로 상담 전문가이지만, 컬러타로, 타로 수비학 전문가 과정을 수강하기 시작하면서 기존의 타로카드와는 다른 컬러타로, 수비타로만의 매력에 흠뻑 빠지게 되었다. 도대체 어떤 이유 때문일까? 여러 가지 이유가 있겠지만, 그중에서 가장 절대적인 이유는 바로 기존 타로카드에서 부족한 2%를 채울 수 있다는 자신감 때문이었을 것이다.

기존의 타로는 운명론적인 "점"이라는 성향으로 받아들이기 쉬웠고, 이에 따라 미신적인 뉘앙스, 눈으로 보이지 않는다는 추상적 대상이라는 것에서 일부 사람의 불신을 받아왔다.

그래서 상담학회 등 상담 전문가의 노력으로 타로를 상담에 접목하여 타로 상담으로 발전시켰지만, 이런 불신의 잔재는 여전했다.

이에 비해 컬러, 수비학이라는 분야의 '컬러(COLOR), 수(數)'는 우리 삶과 동고동락하는 그 대상이 명확하고, 미술, 수학 등의 학문적으로도 전문화된 구체적이고, 실증적이며, 논리적인 대상이다. 이런 이유로 타로 상담 전문가로서의 컬러타로 트레이너, 타로 수비학 트레이너들은 과학적인 컬러, 수비학을 통해 타로카드에서 부족했던 2%의 갈증을 채울 수 있었던 것이다.

『컬러타로 상담 전문가 - 1기 트레이너 자격 과정』 이후, 수강생들의 엄청난 인기와 수강생들의 열정에 힘입어 컬러타로 상담카드에 신비주의 오컬트의 의미를 가미하여 업그레이드하는 과정의 많은 연구가 필요했다. 수년간의 연구 끝에, 드디어 『세계 최초 - 컬러수비타로카드(Color Numerology Tarot Cards)』라는 결과물을 산출할 수 있었다. 이는 한국타로연구소, 한국타로연구회, 컬러수비타로카드 공저 선생님들의 끊임없는 열정과 노력, 땀방울에 대한 자연스러운 보답물이지 않나 싶다.

4차 산업혁명 시대를 맞이하는 현시점에서, 우리 대부분은 시대의 흐름을 역으로 거슬러 올라갈수록 실체를 직접 보고, 경험한 것만이 참 진리이며 믿을 수 있는 부분이라고 생각했었다. 즉, 눈에 보이지 않는 마음이라는 부분은 거의 무시하고 있는 실정이었다. 하지만, 이것이 한쪽에 치우친 단편만을 추구하였다는 깨우침으로 19C~20C 마음에 관한 상당한 연구가 이루어지게 되었으며, 현재 4차 산업혁명의 불확실성에 대한 수많은 예측에서 오는 불안감으로 마음을 연구, 활용하자는 목소리가 더욱 높아지고 있다. 이런 시대적 요구를 반영하여 마음을 제대로 이해하고, 활용하여 일상생활에서 일어나는 인간의 삶의 문제를 이해하고 우리의 힐링을 목표로 『컬러수비타로카드(Color Numerology Tarot Cards)』를 출판하게 되었다. 특히, 학교 현장에서의 청소년 상담에 활용되어 청소년들의 잠재력에 에너지를 불어넣어 주는 도구, 대중 사회에서 부정적인 마인드를 긍정적으로 변화시켜 주는 좋은 도구로 활용되기를 바라는 간절한 마음을 담았다.

우리의 삶에서 늘 에너지를 주며 영향력을 미치고 있는 컬러, 수에 미래를 예측하여 발전적인 설계가 가능한 타로카드를 접목한 컬러수비타로카드는 잠재의식의 정보를 파악하여 문제 상황을 해결해 나갈 수 있다는 장점과 더불어, 일부 사람들이 가지고 있는 타로카드의 부정적인 시각을 없애 주고, 미래를 이해하고 긍정적으로 나아갈 수 있도록 이끌어 줄 것이다.

끝으로, 대학 강의를 하고 계신 선생님들 및 타로 상담 전문가 과정,

강의를 이수하고 같이 활동하고 계시는 전국의 많은 상담 전문가 선생님들께 소중한 인연에 대한 감사의 말씀을 이 자리를 빌려 전한다.

자, 그럼 많은 독자와 수강생들이 기대하고 있는 컬러수비타로카드라는 넓고 깊은, 한계의 끝이 보이지 않는 블루오션의 세계로 들어가 보자.

세계 최초 - 컬러수비타로카드(Color Numerology Tarot Cards)

저자 & 자문 일동

I

컬러수비 타로카드 개론

COLOR NUMEROLOGY TAROT CARDS

타로카드에서의 컬러(Color)와 수비학(數祕學, Numerology)의 중요성

마르세이유 타로카드, 유니버셜웨이트 타로카드 등 오컬트, 신비주의의 비의적인 요소를 내포하고 있는 타로카드는 메이저 카드 22장과 마이너 카드 56장, 총 78장으로 구성되어 있다.

컬러수비타로카드는 컬러(Color)와 수비학(數祕學, Numerology)이 강조되어 특화된 타로카드이다. 타로카드에서 컬러(Color)와 수비학(數祕學, Numerology)이 얼마나 중요하길래 이 두 요소가 특화된 것일까?

아래 유니버셜웨이트 타로카드를 살펴보면 그 이유를 쉽게 이해할 수 있다.

메이저 카드를 제대로 해석하고 이해하여 상담에 적용하기 위해서는
① 카드의 맨 위 " I "이라는 로마 숫자
② 카드의 가장 아래 "THE MAGICIAN"이라는 제목
③ 카드의 전반을 구성하는 타로카드의 이미지
이 3가지를 정확히 파악하여야 가능하다.

미이너 카드를 해석하고 이해하여 상담에 적용하기 위해서는 먼저, 숫자(PIP) 카드에서는
① 카드의 맨 위 "IX"라는 로마 숫자
② 카드의 큰 방향을 설정하는 4원소(여기서는 컵)
③ 카드의 전반을 구성하는 타로카드의 이미지

인물(COURT) 카드에서는
① 카드의 맨 아래 "QUEEN of PENTACLES"라는 제목(인물/슈트)
② 카드의 큰 방향을 설정하는 4원소(여기서는 펜타클)
③ 카드의 전반을 구성하는 타로카드의 이미지
이 3가지를 정확히 파악하여야 가능하다.

우리는 여기에서 메이저 카드, 마이너 숫자(PIP) 카드의 공통부분을 찾을 수 있다. 바로 상단 부분의 숫자와 타로카드의 이미지이다.

① 카드의 맨 위 " I ", "IX" 로마 숫자는 단순한 숫자가 아니다. 우리가 평범히 알고 있는 1과 9의 의미에 추가로 타로카드가 제작될 당시의 의도를 파악해야 한다. 또한, 메이저 카드, 마이너 숫자 카드의 ③ 카드의 전반을 구성하는 타로카드의 이미지는 그냥 단순한 그림이 아니다. 우리가 느끼는 그림에 대한 감정과 더불어 컬러를 포함한 함축된 이미

지의 상징적인 의미를 이해해야 한다.

고대부터 전통을 중시하며, 신과 인간의 연계성을 연구하는 신비주의자들은 자신들의 소속 모임, 단체 등에서 외부 노출을 꺼리며 신성하고 비밀스러운 정보를 소수의 후대에 계승하기를 원했다. 이런 목적을 달성하기 위한 수단 중의 하나로 타로카드를 사용하였다.

아래의 마이너 카드를 살펴보자.

마이너 카드의 숫자(PIP) 카드 중 공통인 "V"번 카드이다.

보통 신비주의의 오컬트적인 타로카드에서는 숫자와 컬러, 이미지가 서로 연계 된다.

일단, 마이너 숫자(PIP) 카드이므로,

① 카드의 맨 위 "V"라는 로마 숫자

② 카드의 큰 방향을 설정하는 4원소(순서대로 완드, 컵, 소드, 펜타클)

③ 카드의 전반을 구성하는 타로카드의 이미지

를 살펴봐야 한다.

네 장의 완드, 컵, 소드, 펜타클의 V번 카드들의 이미지를 보면 바로 숫자 "5"의 큰 의미의 방향을 짐작할 수 있다.

네 장 5번 카드들의 이미지에서 받는 느낌이 어떤가?
아마 독자 모두 "부정적이다"라는 것을 공통으로 느낄 것이다.

5번의 『완드(행동) - 컵(감정) - 소드(사고) - 펜타클(실질)』은 숫자 5의 부정적 의미와 4원소의 특성이 연계되어 '싸움, 투쟁 - 실망, 실추 - 패배, 손실 - 빈곤, 어려움'이라는 부정적인 키워드로 작용하게 되는 것이다.

그렇다면 숫자 5의 수비적 의미를 제대로 파악한다면, 타로카드의 포괄적 의미와 제작 당시의 비의적 의미까지 제대로 파악하여 타로상담 전문가로서의 실력 있는 전문가 활동이 가능한 것이다.

수비학적인 면에서 숫자 5의 전문적인 의미는 추후 2024년 12월경 출판 예정인 『타로 수비학』에서 살펴보기로 하고 핵심적인 의미만 살펴본다면, 숫자 5는 '변화, 산만, 진보, 발전, 불안정성, 불확실성, 진보적, 다양성, 모험적인, 혼란함, 독선, 무책임함, 자유로움, 충동적, 이해, 갈등, 복합, 안내, 인도를 위한 조언자(전문가), 변화를 위한 연합, 동맹, 조언자, 안내자, 전문가, 중개자, 보수적인, 교육, 결혼, 관계, 좋은 인연, 정신적인, 전통과 지식'이라는 의미를 함축하고 있다.

숫자 5는 숫자 1부터 4까지, 0차원부터 3차원까지의 확장에 시간의 개

념이 추가되었다고 생각하면 이해하기 쉬울 것이다. 즉, 숫자 5는 현재라는 시점을 기준으로 좌, 우의 시간의 이동이 가능한 숫자라 '과거-현재-미래'라는 시간선(Time Line)을 구축할 수 있다.

이런 의미를 알고 있는 타로 상담 전문가라면, 단순하게 5번의 『완드 - 컵 - 소드 - 펜타클』 카드의 의미가 '싸움, 투쟁 - 실망, 실추 - 패배, 손실 - 빈곤, 어려움'이라는 부정적인 키워드만 알고 있는 자칭 타로 상담 전문가와 큰 실력 차이를 보이게 될 것이다.

이제 아래 2장의 타로카드를 살펴보자.

0. THE FOOL. | VII. THE CHARIOT.

위에 제시된 두 카드는 「0. THE FOOL(바보)」과 「7. THE CHARIOT(전차)」 카드이다.

「0. THE FOOL(바보)」은 화려한 컬러의 찢어진 옷을 입은 주인공이 월계관을 쓰고, 봇짐을 메고, 낭떠러지 위에서 하늘을 바라보며 자유로운 행동을 취하고 있다. 주인공 옆에는 하얀 강아지 한 마리가 주인공과 비슷한 제스처를 취하고 있으며, 오른쪽 상단에 완전한 형상의 1/4 정도만을 드러낸 태양이 주인공을 비추고 있다. '새로운 시작, 잠재력, 독창적, 개성, 좌충우돌, 미완성, 자유 추구, 비현실적, 순수하다, 무책임하다, 충동적이다, 무계획성, 무소유, 무모하다, 위험에 유의해라' 등의 대표적인 의미를 가진다.

「7. THE CHARIOT(전차)」는 두 마리의 흑, 백 스핑크스가 이끄는 전차 위에 주인공이 강한 의지를 다지며 머리에는 월계관과 별 왕관을 쓰고, 오른손으로 지팡이를 잡고 있다. 전차의 한가운데에는 날개 달린 원반이 있고, 주인공의 양쪽 어깨에는 우림과 둠밈이 있다. 또한, 전차의 차양에는 많은 별이 그려져 있다. '강한 의지, 목표 달성, 성공, 승리, (일시적인)성과, 강한 추진력, 강한 자신감, 진취적인, 목적을 향한 추진, 행동을 취한다, 라이벌 제압' 등의 대표 의미를 가진다.

이를 실전 상담에 이해하기 쉽게 간단히 적용해 보자.

카드의 상황이 과거-현재라면, 과거의 무책임하고 좌충우돌의 상황이 현재, 목표 달성을 위해 강한 추진력을 보이는 상황으로 변화되고 있음을 알 수 있다.

또, 카드의 대상이 본인-배우자라면, 본인은 무계획적이고, 자유를 추구하는 상황이지만, 배우자는 추진하고 있는 목표를 향해 강한 행동을 추구하는 상황임을 알 수 있다.

이제 두 카드에 컬러를 적용해 보자.

먼저 바탕색을 살펴보자. 두 카드 모두 바탕색은 노란색을 띤다.

하지만, 자세히 살펴보면 「0. THE FOOL(바보)」 카드가 「7. THE CHARIOT(전차)」 카드의 노란색보다 짙은 노란색임을 알 수 있다.

「0. THE FOOL(바보)」 카드의 노란 바탕색은 노란색 Ⅲ에 해당하고, 「7. THE CHARIOT(전차)」 카드의 노란 바탕색은 노란색 Ⅱ에 해당한다.[1)]

「0. THE FOOL(바보)」 카드에서의 노란색 배경은 '넘치는 자신감, 오만, 무기력, 주의, 불안, 긴장, 위험, 초조, 배반, 배신' 등을 의미하고, 「7. THE CHARIOT(전차)」 카드의 노란색 배경은 '지혜, 생동감, 지식, 안정, 영성, 직관, 리더십, 풍요, 따뜻함, 강한 자신감, 결단력, 기쁨, 희망, 집중력, 활동적, 낙천적, 명예' 등을 의미한다.

이를 이해하기 쉽게 실전 상담에 간단히 적용해 보자.

카드의 상황이 과거-현재라면, 과거의 근거 없이 넘치는 자신감, 불안의 상황이 현재의 결단력, 안정된 강한 자신감이 충족된 상황으로 변화되고 있음을 알 수 있다.

또, 카드의 대상이 본인-배우자라면 본인은 무기력하고 불안한 상황이지만, 배우자는 지혜롭고 안정적이며 강한 리더십을 발휘하는 상황임을 알 수 있다.

---

1) 컬러 및 컬러타로에 대한 자세한 설명은 『Color tarot card 상담전문가(하움출판사, 최지훤 외)』를 참고하기 바란다.

두 번째 인물이 입고 있는 옷의 색을 살펴보자.

「0. THE FOOL(바보)」 카드는 찢어지긴 하였으나, 화려한 색상의 옷을 입고 있는 반면에 「7. THE CHARIOT(전차)」 카드는 검은 계열의 갑옷을 입고 있다.

「0. THE FOOL(바보)」 카드에서와 같은 화려한 색상은 컬러타로 상담 카드에서 무지개색으로 표현한다. 즉, 무지개색은 다양한 색을 조화롭게 포괄하는 색으로 '활발, 조화, 화려함, 개성, 무질서, 즐거움, 기쁨, 희망, 창조력, 창의력, 다재다능, 자유, 애매모호, 불확실성, 복잡, 분출, 영광, 갈등, 혼란, 독특성'의 의미를 지닌다.

「7. THE CHARIOT(전차)」 카드에서의 검은색은 '부정, 절망, 어둠, 배신, 종말, 죽음, 힘, 공포, 두려움, 암흑, 허무, 불안, 악, 엄숙, 무게감, 권위, 권력'의 의미를 지닌다.

이를 실전 상담에 이해하기 쉽게 간단히 적용해 보자.

카드의 상황이 과거-현재라면, 과거에는 자유를 만끽하고 불확실한 상황과 갈등, 혼란이 동반된 상황이었으나 현재에는 무게감, 권위, 엄숙한 상황으로 변화되고 있음을 알 수 있다. 계속적인 자유를 만끽하는 상황에서 벗어나 목표 달성을 위해 전진해야 하는 상황인 것이다.

또, 카드의 대상이 본인-배우자라면, 본인은 천진난만하게 즐거움을 추구하며 다양함을 추구하는 반면, 배우자는 엄숙하고 무게감 있는 행동을 하는 상황임을 알 수 있다.

이상, 간단히 배경색(컬러)과 주인공의 옷 컬러를 통해 상담을 진행하는 방법을 소개했다.

컬러는 타로카드의 이미지에 큰 상징으로 자리 잡고 있다.

컬러에 대한 전문 지식을 소유한 타로 상담 전문가라면 다양한 방법으로 카드 간 비교 전문 상담, 카드 내의 전문 타로 상담을 진행할 수 있을 것이며, 차별화된 전문가로 활동할 수 있을 것이다.

이렇게 실력 있는 진정한 타로 상담 전문가로 나아가기 위해서는 전문 수비학, 컬러의 비의(祕意)를 포함한 상징적인 내용 습득이 큰 무기가 될 것이다.

이상 살펴본 바와 같이, 컬러와 수비학은 전문 타로 상담에서 가장 중요시되는 2가지의 요소이며, 컬러수비타로카드는 바로 이런 컬러와 수비학을 특화시킨 전문 타로 상담 카드로 컬러타로 36장과 수비타로 36장, 총 72장으로 구성된다.

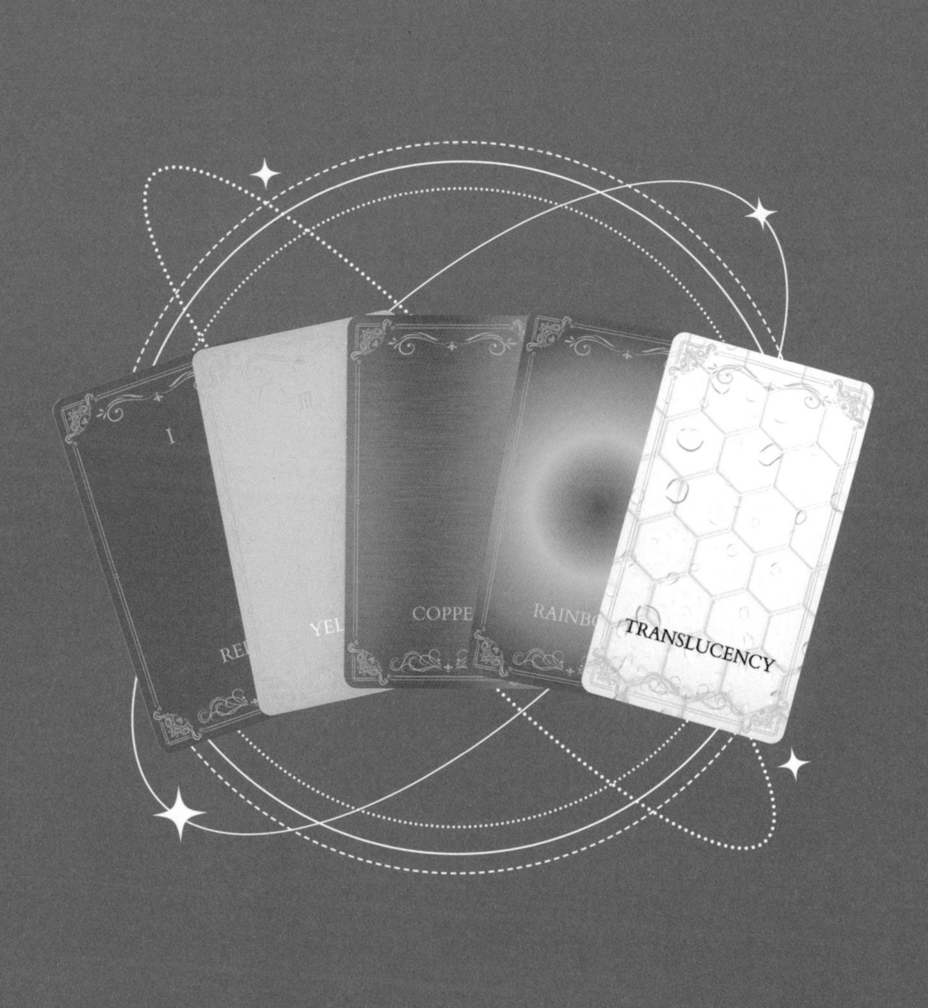
TRANSLUCENCY

COLOR NUMEROLOGY TAROT CARDS

수 "0"으로 살펴보는 타로 수비학

태초 우주의 탄생으로 거슬러 올라가 본다.

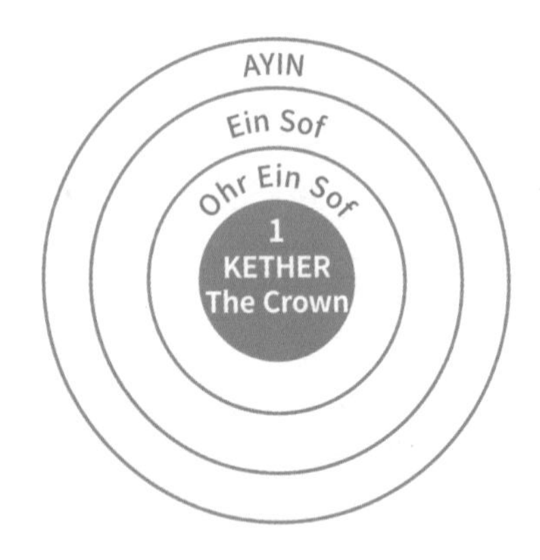

광활한 우주 속에서 축적되어 응집된 빛은 그 응집의 농도를 최대로 끌어올려 생명의 나무 첫 번째 세피라인 케테르를 탄생시킨다.

우주 속에서 응집된 아인, 아인소프, 오르아인소프는 그 형체를 드러내지 않고 광활한 우주를 가득 메우고 있던 것이다. 바로 태초의 빅뱅이 일어나기 전 상태인, 아무것도 존재하지 않으면서 무한하며 가득 찬 영원 상태가 바로 아인, 아인소프, 오르아인소프인 것이다.

여기에서 0은 아무것도 존재하지 않는 '비존재, 무(無), Zero', 비어 있는 상태인 'Empty'를 의미하기도 하며, 무한하며 가득 찬 '영원함', 궁극적 신비, 이해할 수 없는 '절대적'이라는 의미를 내포하고 있다. 이런 여러 의미로 0을 수로 인정하지 않기도 하였다.

이는 마르세이유 타로카드에서 0번이라는 넘버가 없음으로 이해할 수 있으며, 유니버셜웨이트 타로카드에서 다른 카드들의 로마 숫자와 비교되는 아라비아 숫자 0으로 설명될 수 있다.

사칙연산에 있어서 0은 특수한 수에 해당한다.

어떤 수에 0을 더하거나 뺀다고 하더라도 변화 없이 그 어떤 수 그대로 결과가 나온다.

곱셈의 경우에는 어떤 수에 상관없이 0이 나온다.

0은 '비존재, 무(無), Zero' 등의 의미로 어떤 수를 나누는 것은 제외한다.

사칙연산의 결과로만 단순히 살펴본 0이라는 수는 다른 수에 영향을 미치지 못하는 수로 보인다. 있으나 마나 한 수? 과연 그럴까?

숫자 0은 무서운 힘을 가지고 있다. 주변에서 두려움을 느끼는 수이기도 하다.

그 이유 중 하나는 바로 형체를 드러내지 않아 주변에서는 0의 속성 그 어느 것도 추측할 수 없기 때문이다.

또한, 0은 어떤 변화로 나아갈지 감 잡을 수가 없다.

씨앗의 상태에서는 무슨 씨앗인지, 앞으로 어떤 변화를 가져올지 등의 본질적인 존재를 예측하기 어려운 것과 같다.

싹을 틔우고, 줄기, 잎, 열매로 서서히 성장하면서 그 실체를 서서히 드러내기 시작한다.

이런 0은 미래에 대한 발전 가능성, 숨겨진 능력, 잠재력을 가지고 있는 수이기도 하다.

타로카드로 살펴보는 수비학 0

마르세이유

유니버셜웨이트

한국 웨이트

만다라 명상 & 타로카드

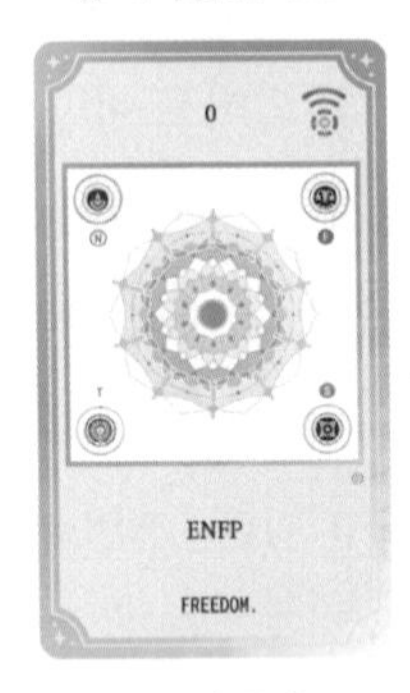

MBTI 타로카드

컬러수비타로카드

한국 데카메론(성인용)

데카메론(성인용)

한국 웨이트 MBTI 타로카드

위 9장 모두 0번이라는 숫자가 가진 타로카드의 비의(秘義)를 간직한 카드들이다.

카발라, 오컬트적인 비의를 간직한 카드들이기에 0번의 수비학적 의미를 함축하고 있으며, 카드에 상징적으로 내포되어 작용한다. 이때 가능하면 타로카드의 비의적 상징을 체험하고 이해하기 위해서는 논리적으로 따지면서 의미를 분석하지 말고, 각 타로카드의 이미지에 자연스럽게 빠져 느껴 보면 수비학적 0의 의미를 몸으로, 마음으로 느낄 수 있다.

9장의 0번 카드들에서는 어떤 것을 느낄 수 있을까?
어디에 얽매임 없는 홀가분함?
마음이 가는 대로 이동하는 자유로움?
세상 물정을 잘 알지 못하는 순수함? 무지함?

자! 컬러수비타로카드 중 수비타로 0번 카드를 살펴보자.

배경색이 컬러타로카드의 RAINBOW인 이 카드는 외부로 드러나지 않은 파워가 내재되어 있음을 암시한다.

마치 발아할 수 있는 충만한 양분을 품고 있는 씨앗이, 곧 세상으로 싹을 틔울 수 있는 시기가 도래함을 의미한다. 하지만, 내 안의 영역에서 세상 밖의 영역으로 나아가는 것이 만만치만은 않다.

이제 새로운 세상, 새로운 환경으로 나아갈 수 있는 충분한 준비가 되었다. 자신감과 의지만 더해진다면 이제 세상 밖으로, 새로운 영역으로 발을 내딛게 될 것이다.

긴장하지 마라. 두려워하지 마라.

큰 호흡과 함께 편안히 이완하기 바란다.

이 이완은 현재의 걱정이나 근심에서 벗어나 새로운 시작을 할 수 있도록 한 발짝 다가가게 도와줄 것이다.

0이라는 숫자는 영어로는 없다는 'Zero' 또는 비어 있다는 'Empty', 아무것도 아니라는 'Nothing'의 의미 등으로 표현될 수 있다.

0은 또한 아무것도 소유하지 않은 상태에서 새로운 출발을 의미하기도 하고, 성과나 결실이 없는 상태를 이야기하기도 한다.

보통 타로카드에서 숫자 0은 '자유로움, 잠재력, 시작, 무계획, 자유연애, 경솔함, 상황 인식의 부족, 성과 없음, 비현실적인, 혼돈, 순수한, 낭만적인, 열정에 들뜬, 포기, 자연스러운'이라는 의미로 사용된다.

수비학 & 타로 수비학에 대한 안내는 2024년 12월 출간 예정으로 지금 열심히 공저자들과 연구, 강의 중인 『타로 수비학』에서 자세히 설명할 예정이다.

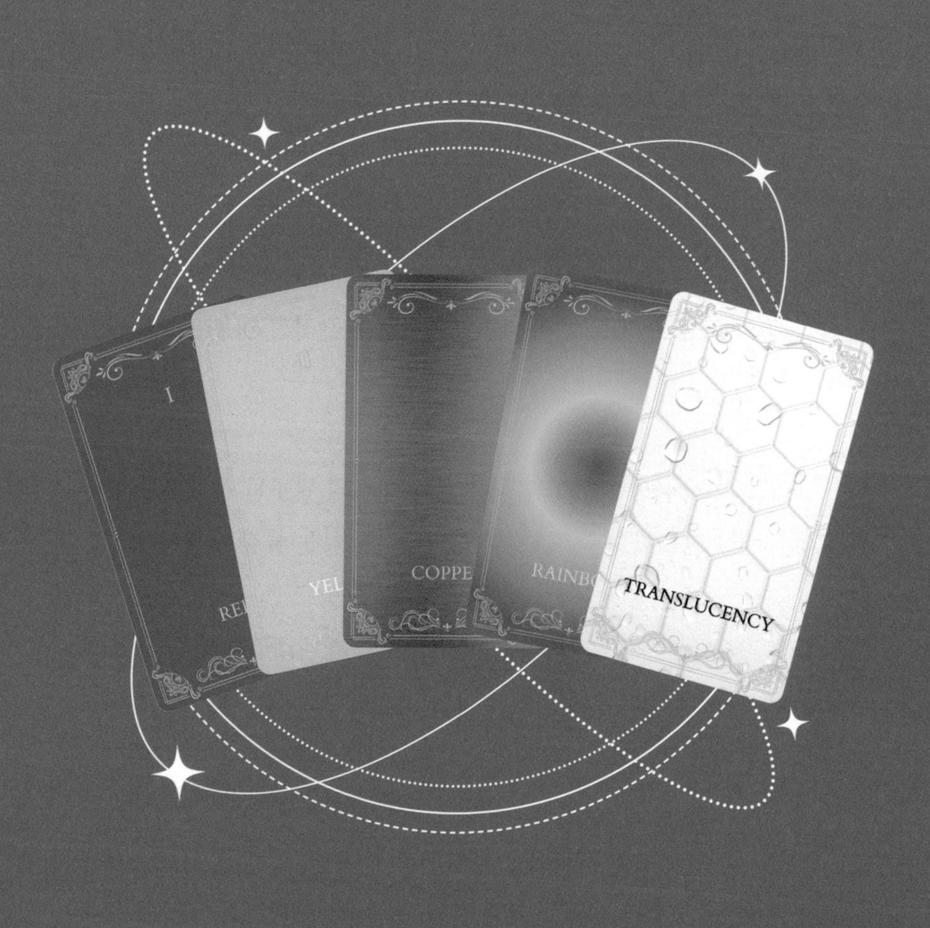
TRANSLUCENCY

03
신비주의 오컬트 & 타로카드에서 컬러(COLOR)와 수비학(數祕學)

[살짝~ 엿보기 1] 신비주의 오컬트 쉽게 다가가기

신비주의, 오컬트의 고서에는 다음과 같은 포괄적인 내용이 포함되어 있다.

“우리가 사는 세상은 생명의 나무, 세피로트의 말쿠트 세상으로 신이 창조한, 세상 만물이 최종적으로 형상화되어 만나는 물질 세상이다.”

생명의 나무는 신의 영역인 첫 번째 세피라, 케테르부터 인간 물질 세상인 열 번째 세피라, 말쿠트까지 신의 생명의 에너지인 빛이 전달되는 과정, 유입되는 과정을 상징해 놓은 비밀스러운 그림이다.

생명의 나무 10개의 세피라는 각각 신의 고유한 성격, 특성을 포함하고 있으며, 이 고유한 특성에 의해 수와 색(컬러)을 달리하여 표현한다. 예를 들어, 절대적인 신의 영역에 해당하는 케테르는 막강한 에너지의 첫 번째 세피라로 1이라는 숫자와 무색으로 상징되며, 인간 물질 세상에 해당하는 마지막 세피라인 말쿠트는 창조물이 물질화되어 산출되는 장소로 10이라는 숫자와 올리브색, 레몬색, 적갈색, 검은색 등의 혼합색으로 표현된다.

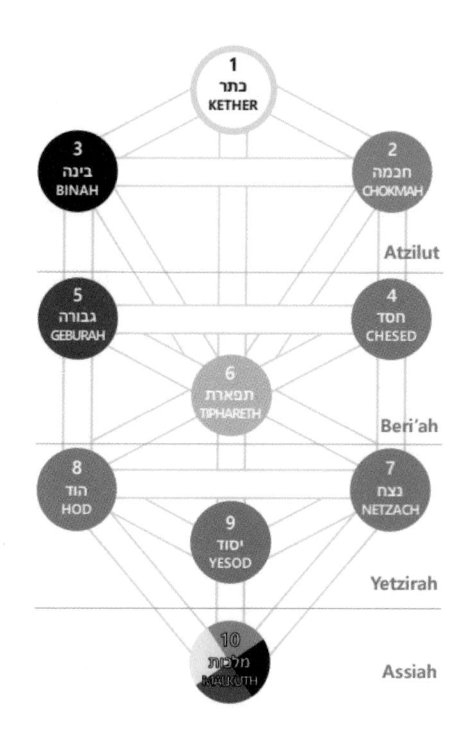

생명의 나무는 타로카드 및 점성학 등을 포함, 연계한 카발라적인 연구들이 고대로부터 계속되어 왔고, 전 세계의 현대인에게 많은 지침으로 적용되고 있을 정도로 전 세계 선조들의 지혜를 포함하여 고급스럽고 비의(祕意)적인 정보를 담고 있다. 그래서 생명의 나무는 타로카드와 같은 고대의 지혜를 파악하는 귀중한 자료로 사용되고 있다. 이런 이유로 많은 타로 연구자들이 진정한 타로 상담자가 되기 위해 신비로운 지식과 지혜를 얻고자 하는 대표적인 것이 생명의 나무를 포함한 신비주의 오컬트이다.

[살짝~ 엿보기 2] 수비학 쉽게 다가가기

"다음 달 O일이 이사하기 좋은 날이래~"

"올해는 아홉 수라 항상 몸조심해야 해~"

"이건 4자가 너무 많이 들어가서 왠지 불길해~"

"우와! 이 차 넘버에 반복되는 7은 마치 럭키 세븐 같아~"

우리는 위와 같은 이야기를 일상에서 많이 사용하고 있다.

어쩌면 지금도 어디서인가 독자 중 누군가가 사용하고 있을지도 모른다.

안타까운 것은 진짜 맞는 말인지 틀린 말인지도 모르면서 따른다는 것이다.

수비학(數祕學)이란 수의 신비로움을 연구하고 다루는 학문으로 수와 수의 조합, 문자 및 기호에서 의미를 도출하는 고대 연구를 말한다. 이런 수비학은 수의 상징과 형이상학, 수와 관계된 주술을 다루는 비교철학에서 근원을 찾을 수 있으며, 우리가 우주의 기본 패턴을 활용하고 우리 자신에 대한 숨겨진 진실을 밝히는 데 큰 도움을 받을 수 있다.

수비학은 어디에서 왔을까? 수비학의 뿌리는 다음과 같은 몇 가지로 설명할 수 있다.

1. "피타고라스의 정리"로 유명한, 피타고라스와 플라톤의 학설로 이루어진 그리스 철학
2. 신비주의 오컬트, 카발라, 생명의 나무 등, 아인소프의 빛 방출로부터 인간 세상인 말쿠트로 연결되는 카발라
3. 종교적 신비로움을 간직한 게마트리아
4. 영적인 지식을 추구하는 그노시즘

태초 세상의 탄생과 함께 수에 대한 역사도 이루어졌으며, 이런 수를 활용한 수비학(數祕學)은 4차 산업 혁명 시대를 맞이하고 있는 현시점에서 더욱더 현대인에게 큰 관심과 인기를 몰아가고 있다.

우리가 수비학(數祕學)을 제대로 이해한다면 아래와 같은 노하우, 정보를 얻어 더 발전적인 미래를 설계할 수 있을 것이다.

1. 개인이 타고난 특기, 재능
2. 삶의 목적과 방향, 천직과 소명
3. 가슴의 내적인 갈망
4. 자신의 이미지, 다른 사람이 자신을 보는 방식
5. 진정한 본인을 완성하기 위한 조화로운 방향
6. 인생에 있어 최고의 성취에 이르는 길과 과정(도전)
7. 인생의 큰 흐름
8. 해당하는 연, 월, 일의 에너지와 흐름, 주제(바이오리듬)

04
타로 상담 전문가조차 수비학에 마음이 강하게 끌리는 이유

서울 경기대 평생교육원에서 국내 최초로 『타로 수비학 전문가 과정 1기 트레이너(강사)』 과정이 얼마 전(2024. 4. 13.~5. 11.) 성황리에 마무리되었다. 이미 타로 상담 전문가 자격을 받고 대학 강의 등의 전문가 활동을 하는 타로 전문가가 대부분이다.

이분들은 이미 타로 상담 전문가이지만, 타로 수비학 전문가 과정을 수강하기 시작하면서 타로 수비학의 매력에 흠뻑 빠지게 되었다. 도대체 어떤 이유 때문일까?

여러 가지 이유가 있을 것이다. 그중에서 가장 절대적인 이유는 바로 기존의 타로 상담은 운명론적인 '점'이라는 성향으로 받아들이기 쉬웠고 이에 따라 미신적인 뉘앙스, 눈으로 보이지 않는다는 추상적인 대상이라는 것에서 일부 사람의 불신을 받아왔기 때문일 것이다.

이에 비해 수비학이라는 분야는 '수(數)'라는 우리 삶과 동고동락하는 그 대상이 명확하고, 수학, 통계학 등의 학문적으로도 전문화된 구체적이고, 실증적이며, 논리적인 대상이다. 한마디로 타로 상담 전문가로서의 타로 수비학 트레이너들은 과학적인 수비학에 신뢰를 가질 수밖에

없는 것이다.

사실 이 '수(數)'는 이미 컬러를 포함한 이미지, 상징과 같이 타로카드에 접목되어 신비로운 비의적인 의미를 담아 긴 역사 동안 전수되어 왔다.

피타고라스학파, 카발라, 오컬트 신비주의 등에서 심오한 '수(數)'에 대한 연구의 역사는 타로카드 탄생과 함께할 정도로, '수(數)'는 긴 역사를 자랑한다.

단지, 일반적으로 사람들이 타로카드를 보면 이미지가 제일 먼저 눈에 띄고, 그 이미지가 시선을 빼앗아 대부분의 사람들은 타로카드 이미지에 매료되고 '수(數)'에 대한 의미를 크게 부여하지 못했던 것뿐이다. 한마디로, '수(數)'를 단순한 수로만 인식했지 그 '수(數)' 안에 심오한 비의적인 의미가 숨겨 있을 것이라고는 생각지도 못했기 때문인 것이다.

이런 '수(數)'에 대해 타로 수비학 전문가 과정에서 하나하나 체계적이고, 실증적으로 숨겨 있는 원리를 파악하다 보니 타로 상담 전문가 대부분이 조심스러웠던 '미신'이라는 부분이 '과학'이라는 부분으로 전환될 수 있는 타로 수비학에 매료된 것이라 설명할 수 있다.

Ⅱ

컬러수비 타로카드 각론

01

컬러수비타로카드 제작 배경 및 목적, 구성

컬러수비타로카드의 도입은 무의식(이하, 잠재의식)과 수(數)의 오컬트적 신비로움을 기반으로 한다. 우리의 마음은 의식과 잠재의식으로 구분된다. 대부분 사람은 일반적으로 인식하는 의식이라는 부분이 마음의 전부인 것으로 오인하고 있지만, 사실 의식은 마음의 10% 정도에 불과하다. 나머지 90% 정도는 잠재의식이 차지하고 있다. 즉, 내가 의식하지 못하는 많은 정보, 기억은 잠재의식의 창고 속에 저장되어 있는 것이다. 이런 잠재의식의 정보는 무한 잠재력을 가진 영역처럼 여러 문제를 해결할 수 있는 정보들로 가득 차 있다.

또한, 우리의 삶은 수(數)와 긴밀하게 연계되어 있고, 인류의 탄생과 더불어 수의 역사가 시작되었다. 이 수(數) 안에는 우리 삶의 신비로운 비의(祕意)가 있다.

이런 평소에 의식하지 못하는 잠재의식과 연관된 무궁무진한 정보를 탐색하고 활용하여 아름다운 미래를 설계하며 긍정적인 변화를 이끌자는 의도와 함께, 수(數)의 신비로움을 이해하고 삶에 슬기롭게 적용, 발전적인 미래를 설계하자는 의도로 컬러수비타로카드가 도입되었다.

이를 포함한 컬러수비타로카드의 연구, 제작 목적은 폭넓고 다차원적인 의미를 내포하고 있지만, 태초부터 신비로움을 간직한 컬러(COLOR)와 수(數)에 대해 안내하고, 삶에 적용할 수 있도록 도와 현재보다 더욱 밝은 미래를 설계할 수 있게 함과 타로카드의 비의(祕意)적인 의미와 컬러(COLOR) & 수(數)와의 융합을 통한 현시대 흐름과 개인별 상황에 맞는 매력적인 기법을 도입하고 접목하여 밝은 에너지를 얻고 긍정적인 방향으로 나아가게 한다는 2가지로 축약할 수 있다.

컬러수비타로카드는 빨간색, 주황색, 노란색, 초록색, 파란색, 남색, 보라색과 흰색, 검은색, 금색, 은색, 동색, 청록색, 회색, 무지개색, 반투명(안개)색, 분홍색, 하늘색, 황토색, 에메랄드색으로 구성되어 있다.

특히, 기본 컬러인 빨간색, 주황색, 노란색, 초록색, 파란색, 남색, 보라색은 명도와 채도를 달리하여 Ⅰ, Ⅱ, Ⅲ 수비학의 의미로 세분화되며, 흰색은 Ⅱ, Ⅲ으로 검은색은 Ⅰ, Ⅱ로 세분화된다. 따라서, 컬러타로 상담 카드는 기본색인 빨간색, 주황색, 노란색, 초록색, 파란색, 남색, 보라색에 Ⅰ, Ⅱ, Ⅲ의 수비학의 의미가 가미된 21(7×3)장과 흰색, 검은색에 각각 Ⅱ, Ⅲ과 Ⅰ, Ⅱ의 수비학의 의미가 가미된 4(2×2)장 그리고, 금색, 은색, 동색, 청록색, 회색, 무지개색, 반투명(안개)색, 분홍색, 하늘색, 황토색, 에메랄드색이 각 1장씩으로 총 36장으로 구성되어 있다.

수비타로카드는 타로카드 중 메이저 카드 22장이 인생의 큰 흐름, 본인과 직접 연관된 상황을 설명해 주는 것처럼, 0~21까지의 숫자에 세상만사의 큰 흐름, 큰 의미를 내포하여 구성되어 있다. 또한, 22, 27, 30, 33, 40, 44, 50, 60, 70, 77, 80, 90, 99, 100의 14개 수가 추가되어 총 36장으로 세상만사의 디테일한 부분까지 모두 포함하도록 구성되어 있다. 특히 이 36장 수비타로카드의 배경은 컬러타로카드 36장의 컬러를 모두 포함하는 등 컬러와 수비학을 연계해 완벽을 기하였다.

이와 같이 컬러수비타로카드는 컬러타로 36장, 수비타로 36장, 총 72장으로 구성된다.

이는 기존의 컬러타로카드가 세상의 원리를 설명하는 이원론[2] 체계에 맞춰 36장, 2세트를 하나의 덱으로 사용하여 72(36×2)장으로 구성된 원리와 같다.

특히, 컬러수비타로카드는 컬러타로 36장, 수비타로 36장을 각각 2세트씩 사용하여 각각의 컬러타로 72장, 수비타로 72장을 특화하여 전문상담에 활용할 수 있다는 큰 장점을 가지고 있다.

컬러수비타로카드는 컬러타로 상담과 타로 수비학 상담이 모두 가능하며, 이 두 가지 상담을 위한 기본서와 공통 타로카드로 사용된다.

컬러타로상담을 전문적으로 공부하고자 하는 독자는 『Color tarot card 상담전문가(하움출판사, 최지현 외)』를 참고하기 바라며, 특히 컬러타로 상담 전문가 강의를 수강하면 전문 컬러타로 내용을 이해하기 더욱 수월할 것이다.

또한, 타로 수비학이나 수비학 상담을 전문적으로 공부하고자 하는 독

---

2) ① 이원론(二元論, dualism)은 세계나 사상(事象)을 두 개의 상호 간에 '독립'하는 근본 원리로 설명하는 입장이다. 세계나 인간을 설명할 경우에 쓰인다. (위키백과 인용)
② 세계의 통일성이나 단일성을 부인하고, 대립하는 두 가지 것을 현실의 기본 규칙으로 삼는 관념론적인 세계관. 예컨대 정신과 물질, 오성(悟性)과 감성(感性), 본체(本體)와 현상(現象) 등을 서로 환원될 수 없는 원리라고 생각하는 입장이다. (Daum 사전 인용)

자는 『타로 수비학(가칭, 2024년 12월 예정)』을 참고하기 바라며, 특히 타로 수비학 전문가 강의를 수강하면 전문 타로 수비학 내용을 이해하기 더욱 수월할 것이다.

02

컬러수비타로카드의 상세 설명

1) 컬러타로카드

우리의 삶과 컬러는 뗄 수 없는 관계이다. 세상은 빛이 있어야 볼 수 있으며, 이 빛은 입자와 파동으로 설명될 수 있고, 밝음과 어둠, 컬러(Color)로 표현될 수 있다.

컬러는 크게 빨간색, 주황색, 노란색, 초록색, 파란색, 남색, 보라색의 기본 7가지 색으로 구분할 수 있다. 이 중 빨간색, 노란색, 파란색은 단일색이며, 나머지 색은 두 가지 이상 색의 혼합으로 이루어진 혼합색이다. 주황색은 빨간색과 노란색의 혼합색이며, 초록색은 노란색과 파란색의 혼합색이다. 남색은 파란색과 보라색의 혼합색이며, 보라색은 파란색과 빨간색의 혼합색이다.

컬러타로카드에서 혼합색의 경우 어떤 색의 혼합색인지, 즉 어떤 색으로 구성되어 있는지 파악하는 것이 중요하다. 단일색인 경우 의미에 있어서 일관성과 통일감을 가지며, 상황의 진행에 있어서 신속함과 명확함을 나타낸다. 반면, 혼합색은 어떤 색의 혼합으로 이루어졌는지를 파악하여 그 혼합색의 성질을 파악하여야 하며, 단일색의 특징과는 다소 거리가 멀게 된다.

색상환에서 서로 마주 보고 있는 색을 보색이라고 하고, 서로 상반된 성향의 색을 반대색이라고 한다. 빨간색과 청록색은 보색 관계이고, 빨간색과 파란색은 반대색의 관계이다. 보색 관계인 빨간색과 청록색은 같이 배열하면 선명한 이미지로 보이며, 대인관계에 있어서 서로에게 보완해 주는 에너지를 제공해 주게 된다. 반대색의 관계인 빨간색과 파란색은 따뜻한 느낌 vs 차가운 느낌, 경량감 vs 무게감 등을 느낄 수 있고 관계에 있어서 서로 상반되는 성향을 보인다.

기본 7가지 색 중 빨간색은 가장 강한 양(+)의 에너지를 가지고 있고, 보라색은 가장 강한 음(-)의 에너지를 가지고 있다. 개인별 성격에 따른 컬러를 이 7가지 기본색[3]으로 구분할 수 있고, 차크라[4]와 연관하여 설명할 수 있다.

빨간색에 '정열, 열정, 정의, 기쁨, 의욕, 뜨거움, 활동, 리더십, 자신감, 힘, 에너지, 생명, 순수'라는 다양한 의미가 있는 것처럼 모든 색상에는 다양한 의미가 있다.

우리는 이 기본이 되는 빨간색을 기준인 「RED Ⅱ」라 하고, 「RED Ⅱ」에 명도와 채도를 달리하고 수비학의 의미를 가미한 「RED Ⅰ」, 「RED Ⅲ」으로 세분화하였다. 같은 빨간색이라도 「RED Ⅰ」, 「RED Ⅱ」, 「RED Ⅲ」으로 세분화되면서 서로 다른 의미로 구분된다.

「RED Ⅰ」에는 '열정의 시작, 열정의 부족, 유약함, 따스함, 부족한 의욕, 호기심'이라는 다양한 의미가 있고, 「RED Ⅲ」에는 '흥분, 트러블, 공격성, 선동적, 자기중심적, 격렬, 강한 충동, 싸움, 쾌락, 분노, 혁명, 열광, 오만, 위험, 경고, 파산, 압력, 유혹, 지배력'이라는 다양한 의미가 있다.

이렇듯 7가지 기본색을 Ⅰ, Ⅱ, Ⅲ으로 세분화하여 그 의미를 체계화할 수 있으며, 이렇게 세분화된 21(7×3)장이 메이저 카드 역할을 한다.

큰 틀은 수비학에서 2(Ⅱ)는 '균형, 조화, 관계'를 의미하며 세분화의 기

---

3) 빨간색, 주황색, 노란색, 초록색, 파란색, 남색, 보라색을 컬러타로카드에서는 메이저 카드로 사용한다.

4) 우리 신체에 존재하는 수많은 차크라는 컬러타로카드의 기본 7가지 컬러와 연관된다. 특히, 차크라는 우리 신체 부분과 연관하여 생식기 차크라, 단전 차크라, 위장 차크라, 심장 차크라, 목 차크라, 미간 차크라, 정수리 차크라로 구분하며 이들은 각각 빨간색, 주황색, 노란색, 초록색, 파란색, 남색, 보라색의 기본 7가지 색과 연관된다. 사람이 좌선한 모습을 형상화하면 7개의 차크라가 하나의 자석처럼 땅-생식기 차크라, 단전 차크라, 위장 차크라, 심장 차크라, 목 차크라, 미간 차크라, 정수리 차크라-하늘(태양)로 연결되어 있으며, 이 또한 기본 컬러와 마찬가지로 강한 양의 에너지로부터 강한 음의 에너지의 흐름을 따른다.

준이 되고, Ⅰ은 Ⅱ로의 진입을 앞에 둔 '시작, 유약함, 부족함, 산뜻함'을 의미하며, Ⅲ은 Ⅱ를 경험하고 거쳐 온 '강함, 과격함, 기준의 초과, 과함'을 의미한다.

세분화된 컬러타로카드에 내담자의 상황, 질문 내용 등을 연계시킨다면 그 의미의 폭은 엄청나게 확장되는 것이다. 36장 컬러타로카드의 핵심적인 키워드는 다음과 같다.[5)]

컬러수비타로카드 중 컬러타로카드에 대해 전문적으로 공부하고 싶은 독자는 『Color tarot card 상담전문가(하움출판사, 최지훤 외)』를 참조하거나 컬러타로 상담 전문가 과정을 수강하기 바란다.

---

5) 『Color tarot card 상담전문가(하움출판사, 최지훤 외)』를 참조, 인용

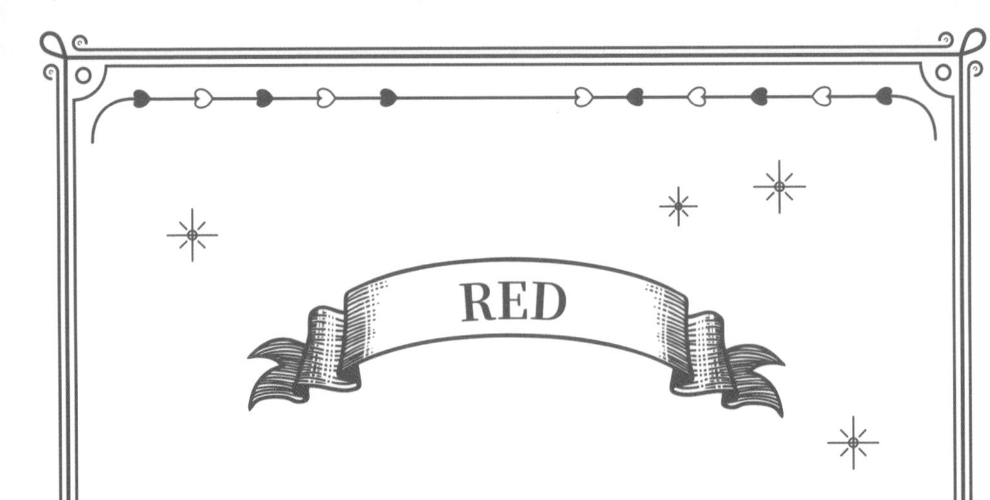

빨간색은 따뜻함을 넘어 뜨거움을 느낄 수 있으며 몸과 마음에 열정과 에너지를 불어넣는다. 즉, 빨간색은 생명력이 넘치고 활동적이며, 의욕에 찬 상황을 표현한다. 편안히 안주하기보다는 열정을 가지고 적극적으로 움직이며, 문제가 있다면 즉각적으로 해결해 나가는 색이다. 그러므로 정열과 뜨거움이 느껴진다. 빨간색은 사람의 감각과 열정을 자극하는 색이다. 따라서, 남녀 간 사랑의 감정을 꽃피울 때도 효과적이다. 또한, 빨간색은 긴급하거나 위험한 상황에서 많이 볼 수 있는 색이며 우리의 피를 상징하는 색이다. 우리는 피(혈액)의 의미를 용감하다고도 표현할 수 있으나, 상처나 싸움 등 부정적인 의미로도 표현할 수 있다.

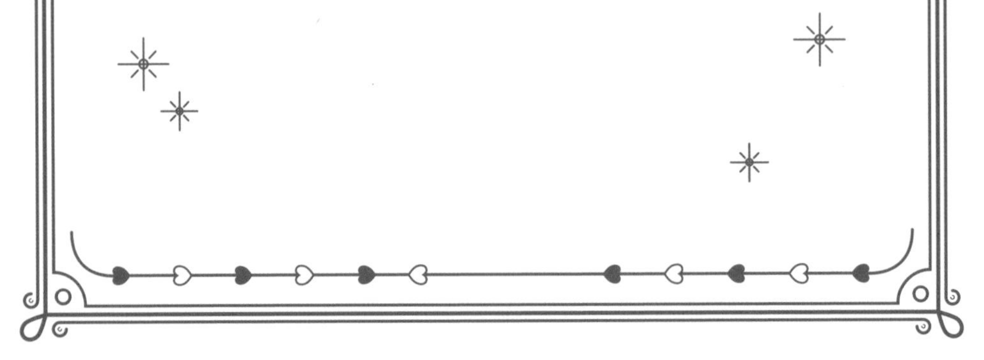

① RED I

핵심 키워드

열정의 시작, 열정의 부족, 유약함, 따스함, 부족한 의욕, 호기심

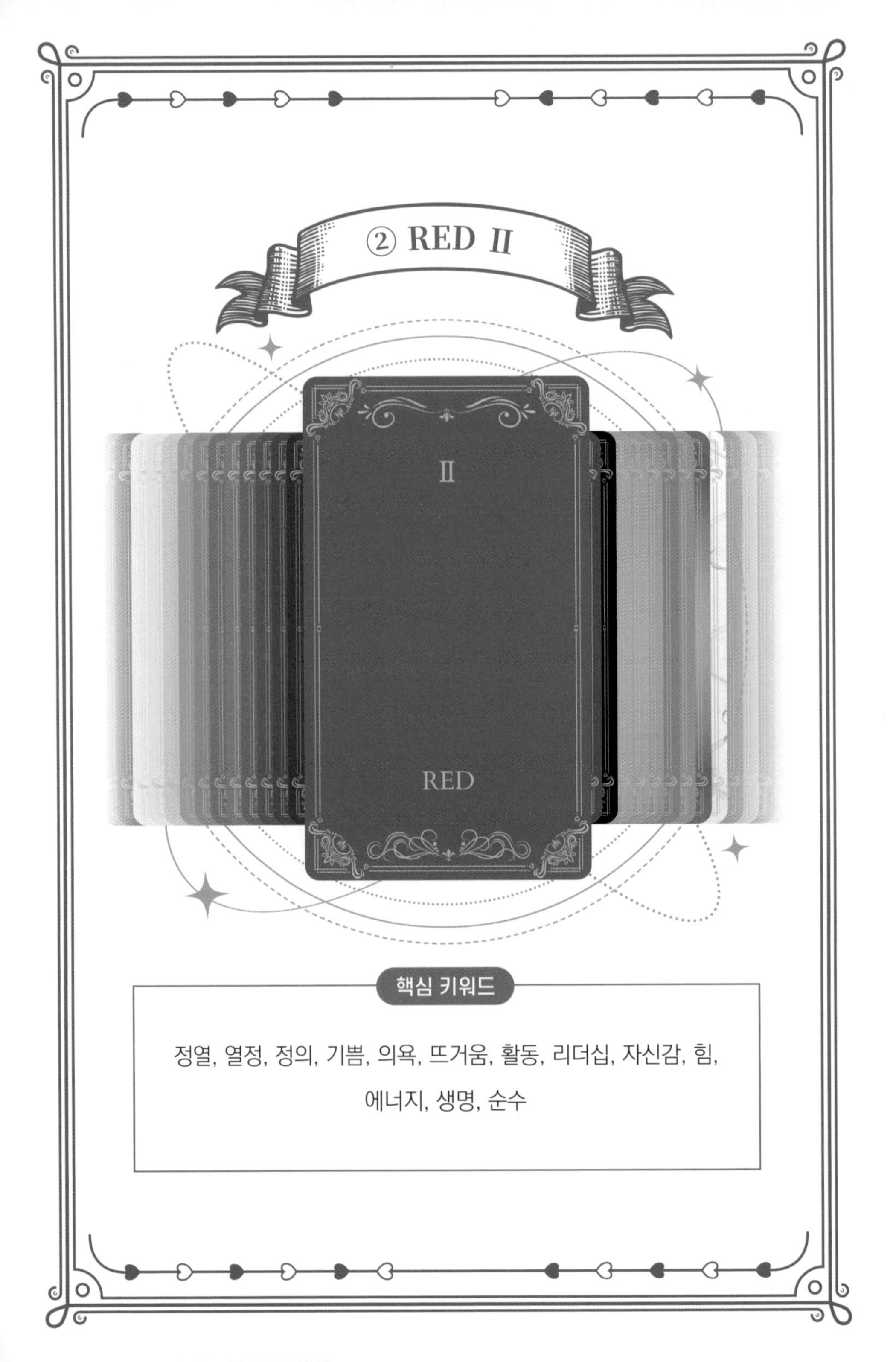

핵심 키워드

정열, 열정, 정의, 기쁨, 의욕, 뜨거움, 활동, 리더십, 자신감, 힘,
에너지, 생명, 순수

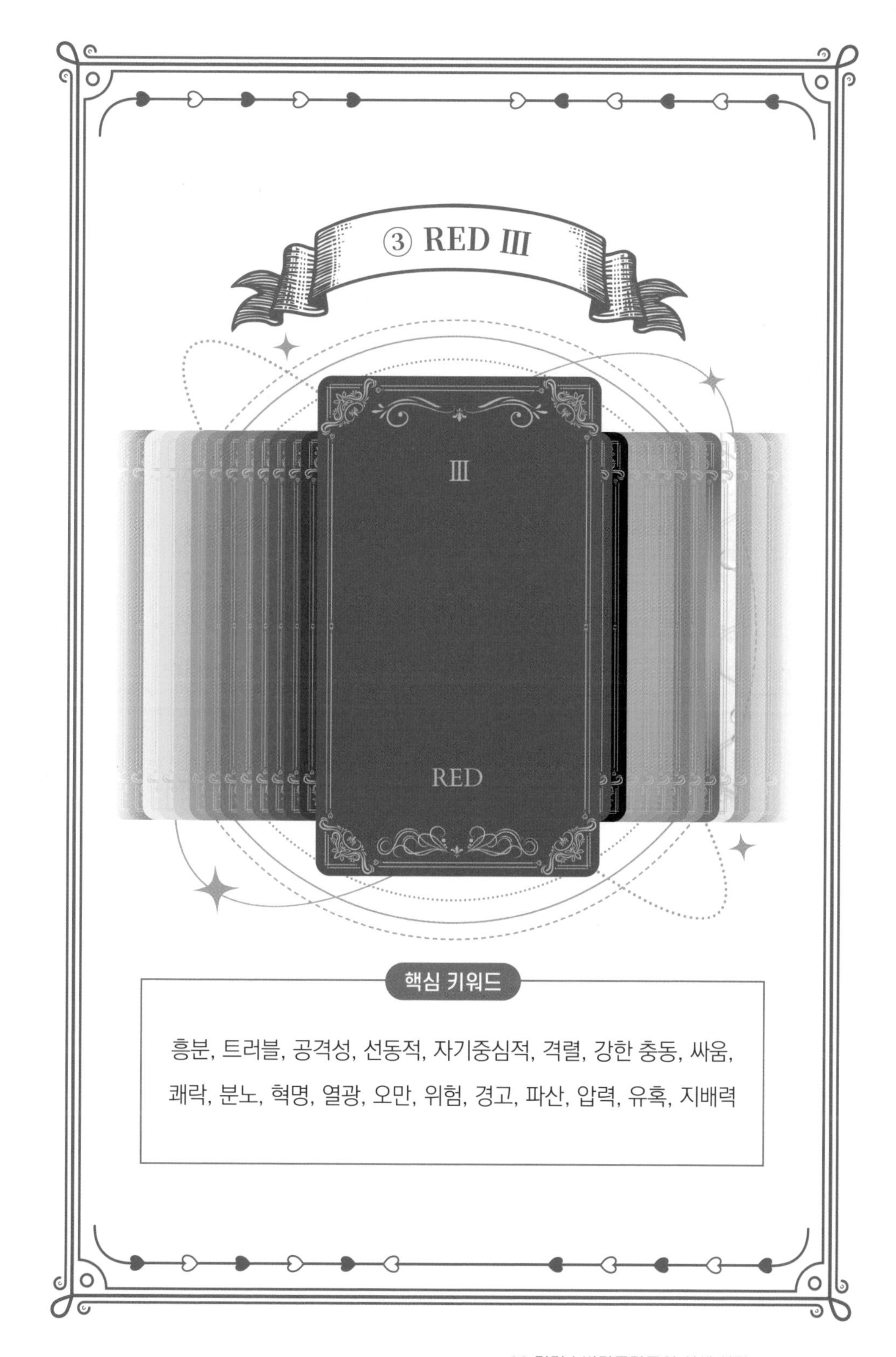
③ RED Ⅲ
Ⅲ
RED
핵심 키워드
흥분, 트러블, 공격성, 선동적, 자기중심적, 격렬, 강한 충동, 싸움,
쾌락, 분노, 혁명, 열광, 오만, 위험, 경고, 파산, 압력, 유혹, 지배력

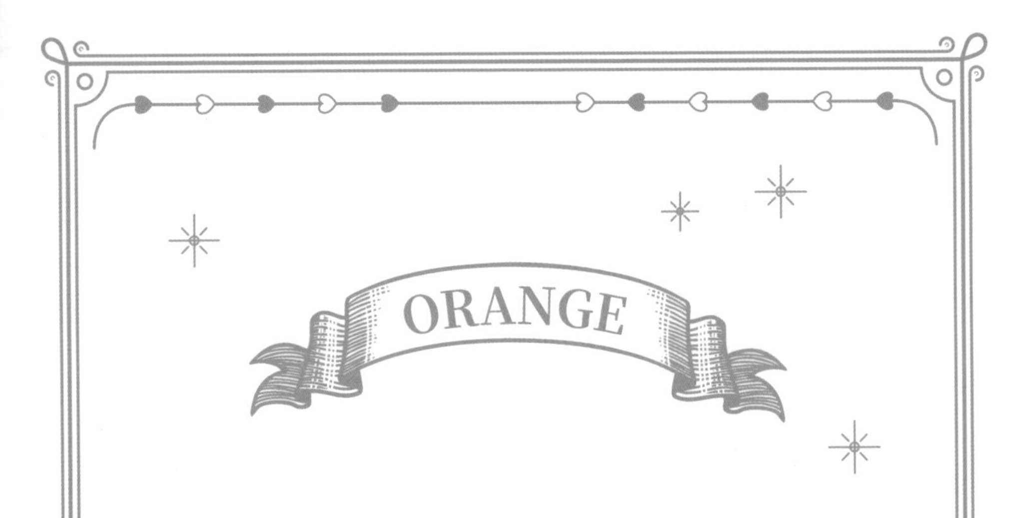

주황색은 우리의 몸과 마음을 따뜻하게 하는 느낌을 준다. 주황색은 빨간색과 노란색의 혼합색으로 빨강이 가지고 있는 강렬함, 뜨거움에서 자극과 부정의 요소를 제거하여 한 단계 발전함으로써 우리 일상에서 필요한 에너지를 제공하며, 노란색으로 안정, 지혜로운 과정의 도입을 위한 현실을 추구하는 이전 단계이다. 따라서, 마음을 즐겁게 해 주고, 스트레스 해소에 도움이 되며, 긍정적인 마음 전환에 유익하게 사용될 수 있다. 또한, 생각에 있어 신중하고 행동함에 있어 여유로움을 주는 컬러이다.

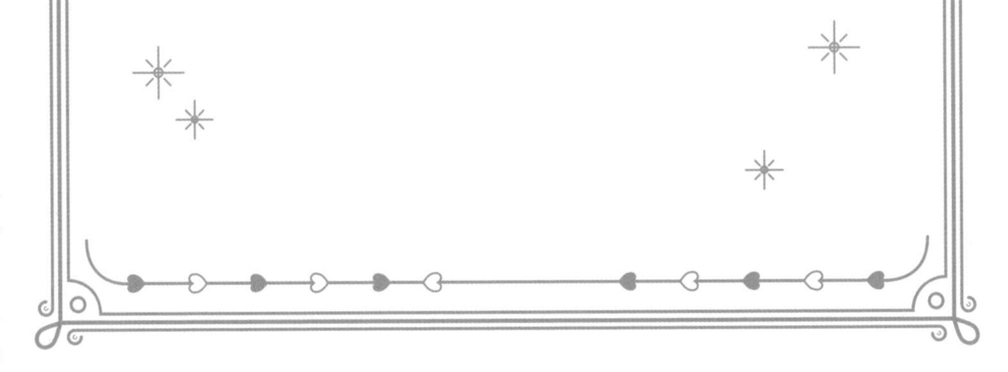

핵심 키워드

자연스러움, 자립, 가벼운 욕구, 망설임, 가벼운 소유 욕구, 따뜻함, 활기를 꽃피움, 사랑에 눈뜸, 은은함, 쾌락, 호기심, 약한 실행력

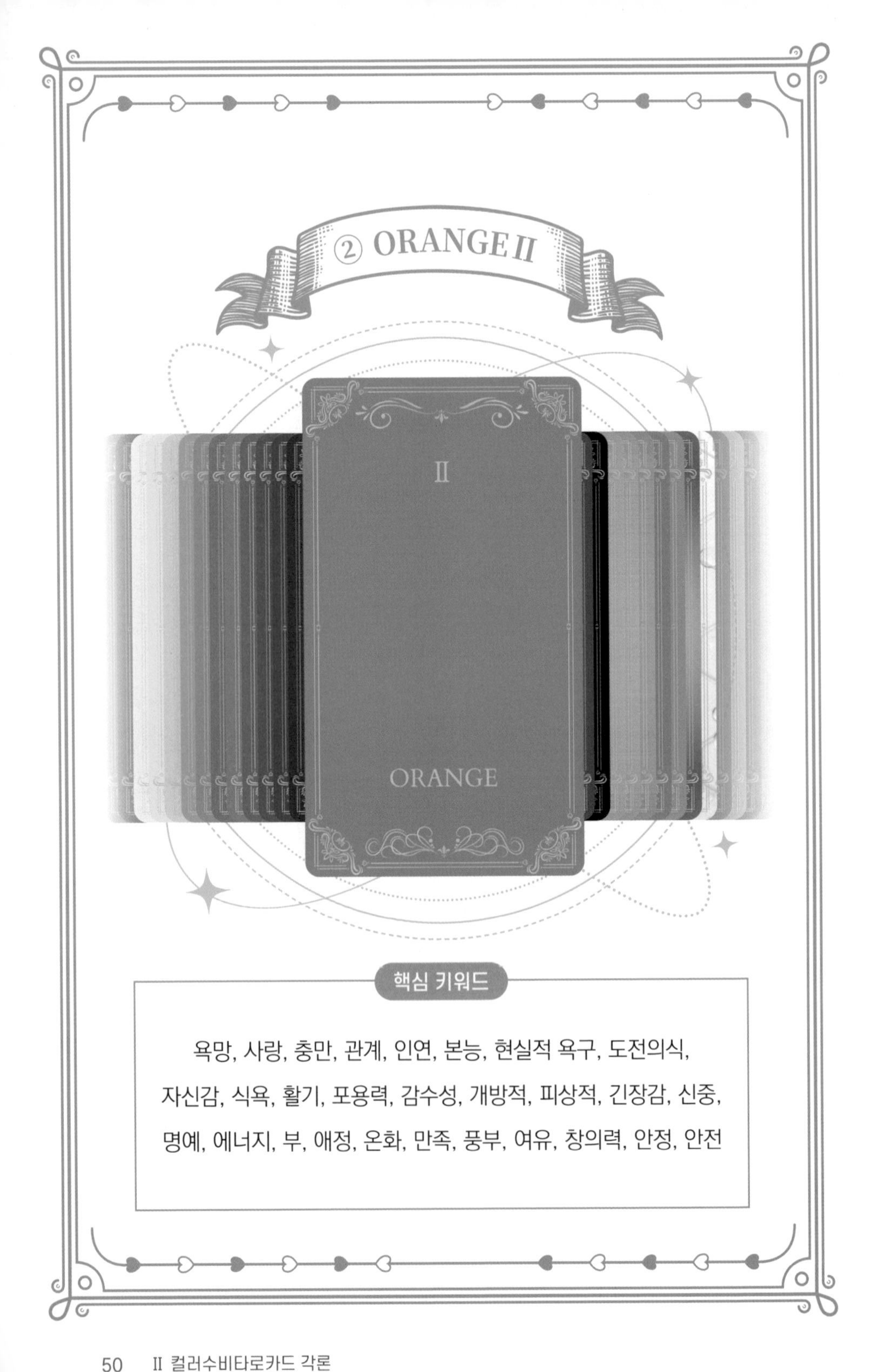

② ORANGE Ⅱ

핵심 키워드

욕망, 사랑, 충만, 관계, 인연, 본능, 현실적 욕구, 도전의식, 자신감, 식욕, 활기, 포용력, 감수성, 개방적, 피상적, 긴장감, 신중, 명예, 에너지, 부, 애정, 온화, 만족, 풍부, 여유, 창의력, 안정, 안전

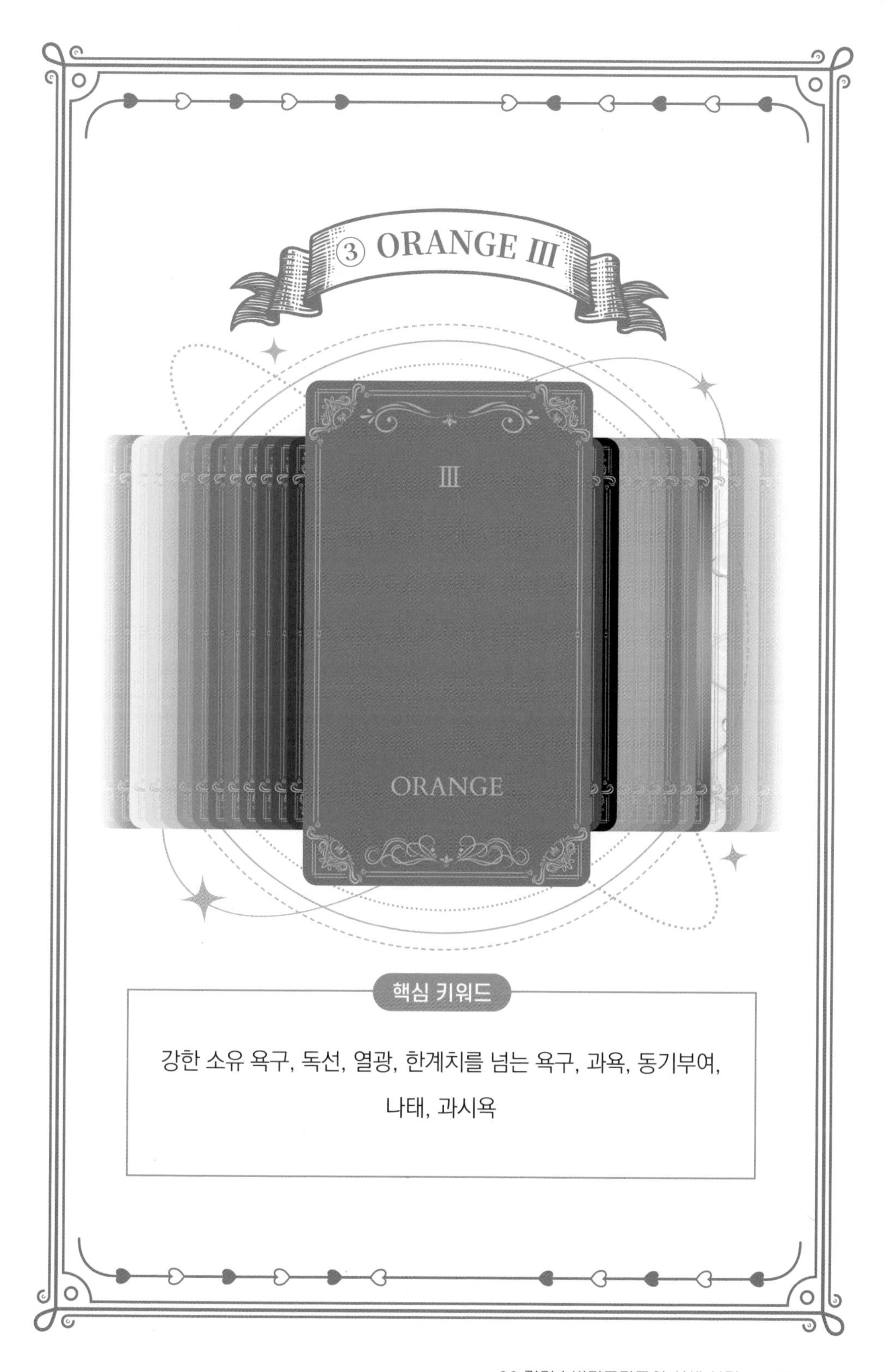

핵심 키워드

강한 소유 욕구, 독선, 열광, 한계치를 넘는 욕구, 과욕, 동기부여, 나태, 과시욕

노란색은 7가지 무지개색 중에서 가장 밝은 색이며, 명랑한 느낌과 생동감을 주는 색이다. 또한, 노란색은 산뜻한 느낌으로 따뜻함을 느끼게 해 준다. 노란색은 자존감과 낙천적인 태도를 갖게 하며, 창의적인 아이디어를 갖게 해 준다. 하지만, 주의를 요하는 상황이나 눈에 잘 띄게 하는 용도로도 사용된다. 태양의 색깔로 부, 풍요를 상징하고 자유를 의미하기도 하며, 부정적인 의미의 노란색은 질투, 배반을 의미하기도 한다.

① YELLOW I
I
YELLOW
핵심 키워드
포근함, 미숙한 지식, 약간의 여유로움, 약한 자신감, 가벼움,
안정적 상황의 시작, 연약함, 변별력 부족, 순수, 매력

② YELLOW Ⅱ

핵심 키워드

부, 지혜, 생동감, 지식, 안정, 영성, 직관, 리더십, 풍요, 따뜻함, 자신감, 결단력, 기쁨, 희망, 집중력, 자유, 명랑, 온화, 주의, 유쾌, 활동적, 낙천적, 명예

③ YELLOW Ⅲ

핵심 키워드

완벽주의, 물질 만능, 권위, 절정, 넘치는 자신감, 충만한 지혜로움, 오만, 시기, 질투, 무기력, 주의, 불안, 긴장, 위험, 초조, 배반, 배신

초록색은 노랑과 파랑의 중간색으로 두뇌를 차분하게 안정시키고, 몸이나 눈을 편안하게 해 준다. 초록색은 난색이나 한색이 아닌 중성색의 이미지로 차분하고 침착한 느낌을 준다. 또한, 심신을 이완시켜 긴장을 풀어 주고, 피로를 회복시켜 주며 스트레스에 대비할 수 있는 안정색이다. 재생을 의미하는 색으로, 심리적 · 육체적으로 불안정한 상태를 개선하고, 균형을 잡을 수 있도록 도와주는 색이다. 새롭게 돋아나는 새싹의 이미지처럼 시작, 출발, 순수의 색이기도 하며, 여름의 생동감, 약동의 이미지를 상징하는 데 쓰이기도 한다. 하지만 어두운 초록색의 경우 생동감을 상징하면서도 원숙한 생명력이 쇠퇴하고 있음을 나타내기도 한다.

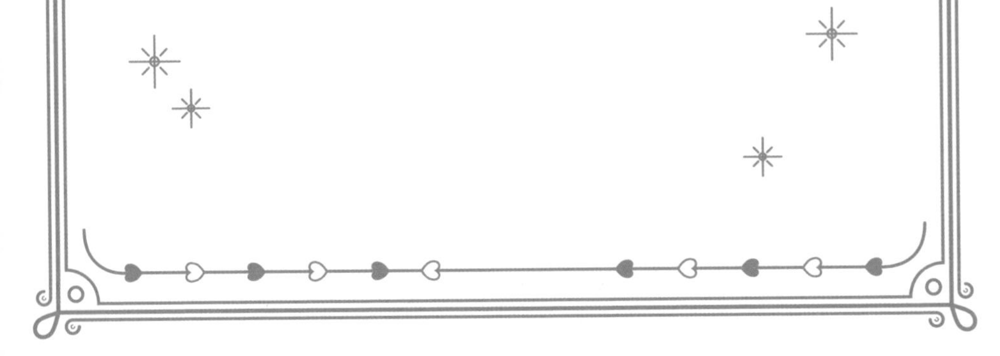

① GREEN I
I
GREEN
핵심 키워드
순수함, 잠재력, 희망, 새로운 시작, 파릇함, 산뜻함, 미숙, 출발

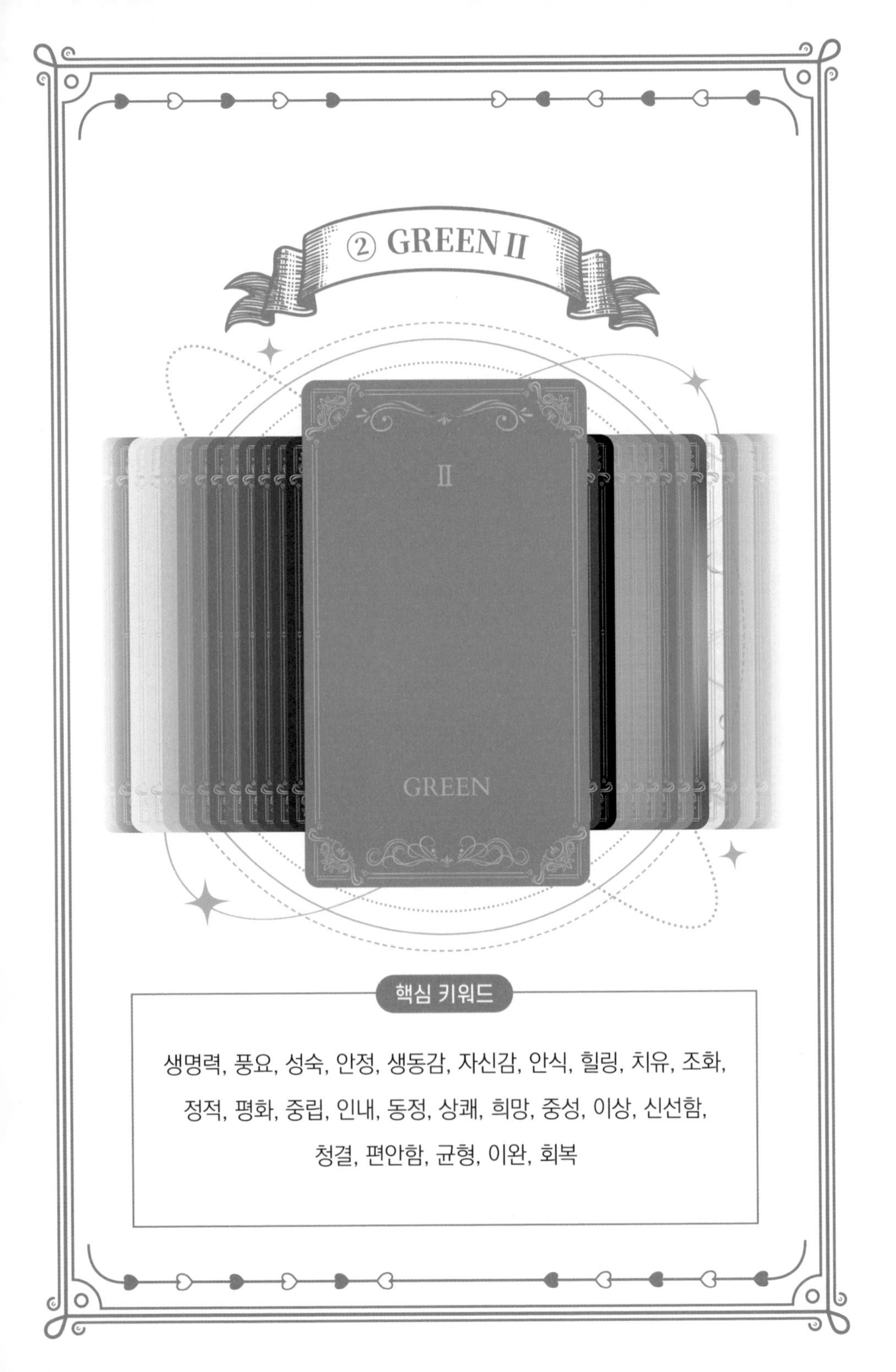

핵심 키워드

생명력, 풍요, 성숙, 안정, 생동감, 자신감, 안식, 힐링, 치유, 조화, 정적, 평화, 중립, 인내, 동정, 상쾌, 희망, 중성, 이상, 신선함, 청결, 편안함, 균형, 이완, 회복

③ GREEN Ⅲ
Ⅲ
GREEN
핵심 키워드
희생, 풍족한, 풍요로움, 넘치는 생동감, 오만, 성숙 뒤 쇠퇴기, 위압

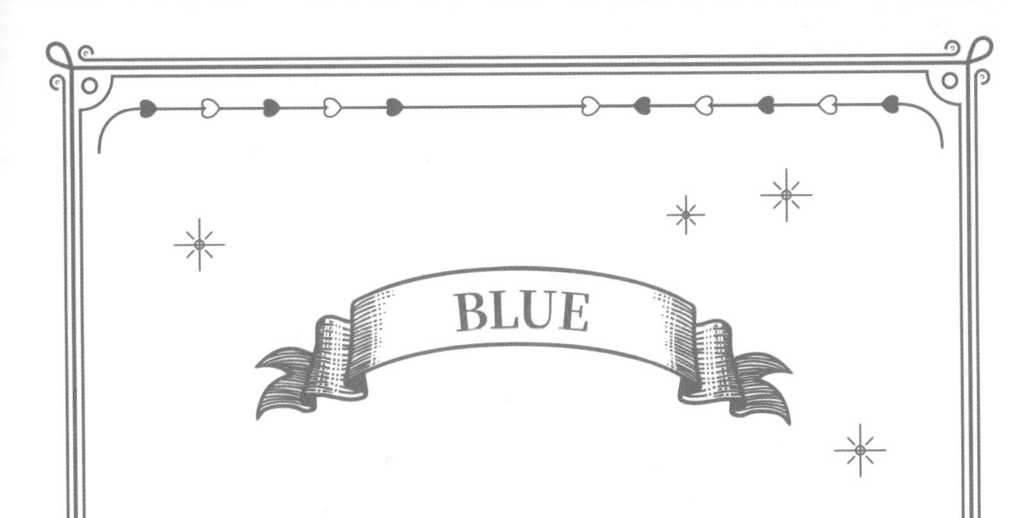

파란색은 보편적인 이미지인 청량감을 상징하면서 진리와 침착함도 함께 상징한다. 심장 운동을 느리게 하여 편안함과 안정감을 느낄 수 있는 색으로, 창조성을 증가시켜 주는 색이라고 한다. 바다와 하늘의 깊이를 가진 파란색으로 둘러싸인 공간에서 인간은 시간의 흐름을 천천히 인지한다. 또한, 파란색으로부터 얻은 안정감은 해방감과 활기로 이어진다. 파란색은 자유로운 색이다. 따라서 미래 청사진의 이미지로 이어지는 무한한 가능성의 색이다. 하지만 파란색은 부정적 이미지를 가졌을 때 우울함, 의기소침과 같은 감정으로 연결된다. 특히 어두운 파랑의 경우 밝은 파랑보다 신중하게 숙고하는 색이며, 깊은 사색의 색이기도 하다. 더 깊은 우울감과 슬픔으로 이어질 수도 있으니 주의해야 한다.

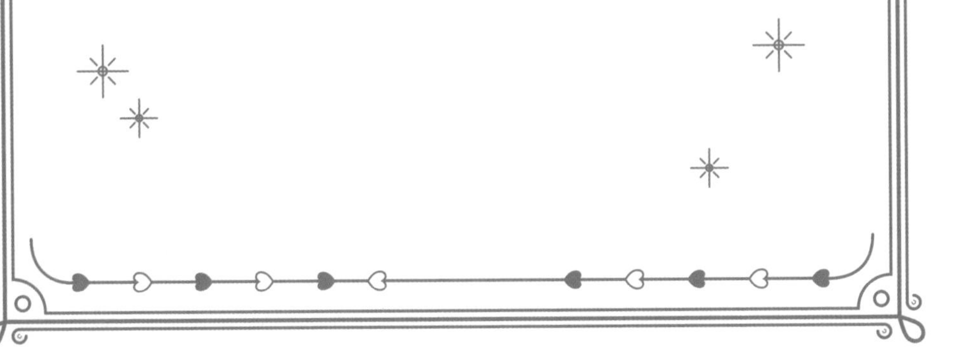

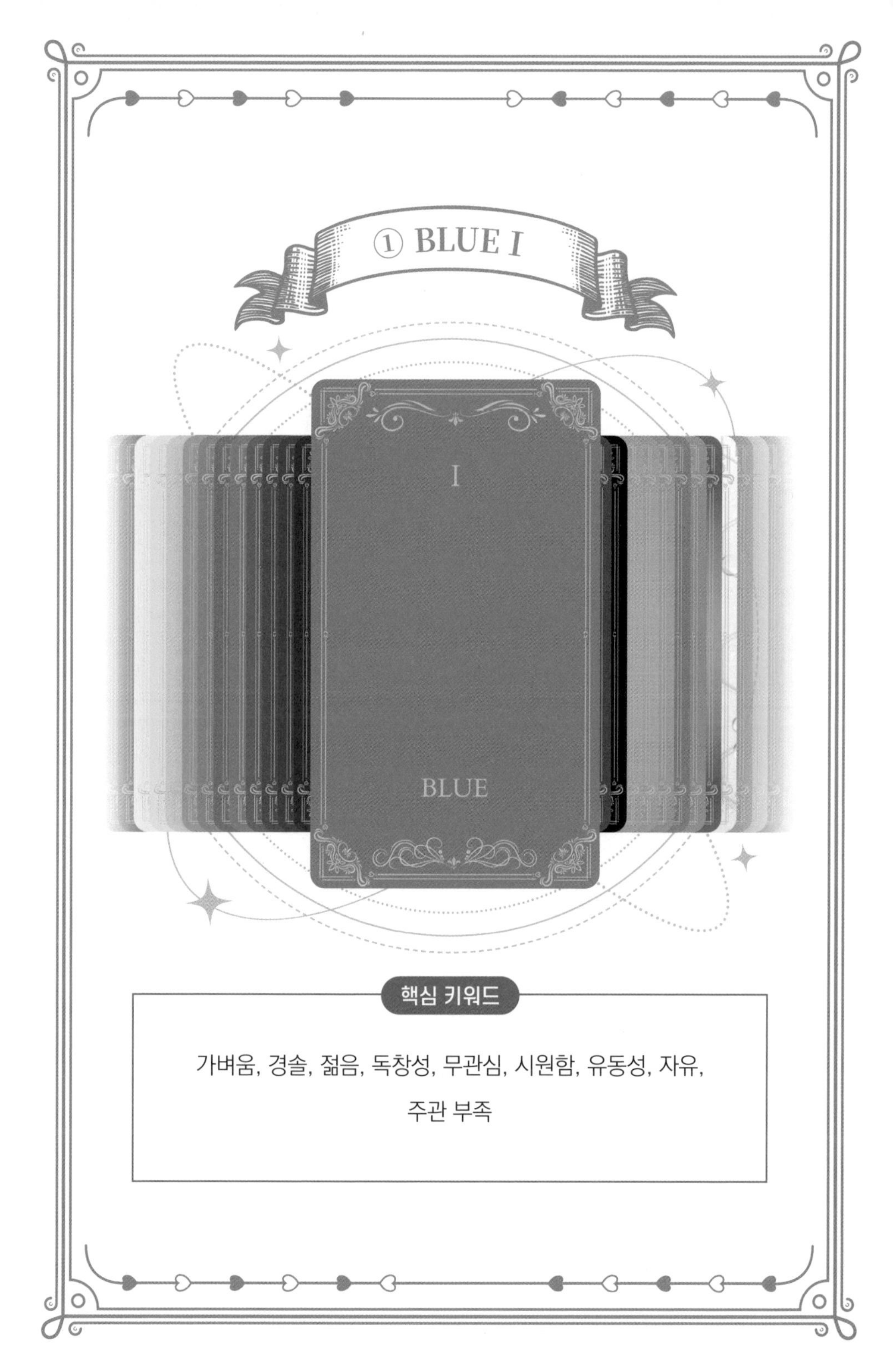
① BLUE I
I
BLUE
핵심 키워드
가벼움, 경솔, 젊음, 독창성, 무관심, 시원함, 유동성, 자유,
주관 부족

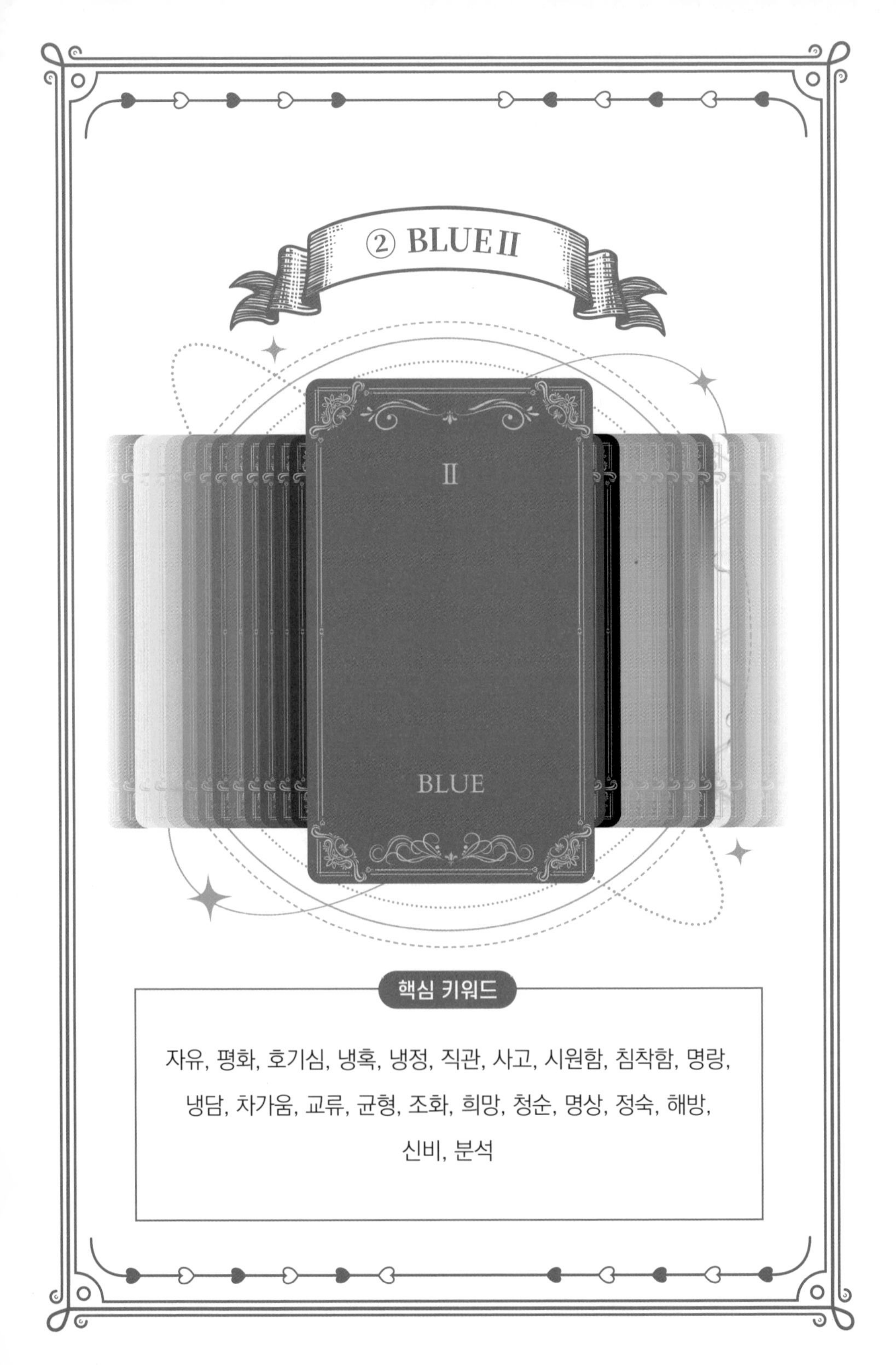
② BLUE Ⅱ
Ⅱ
BLUE
핵심 키워드
자유, 평화, 호기심, 냉혹, 냉정, 직관, 사고, 시원함, 침착함, 명랑,
냉담, 차가움, 교류, 균형, 조화, 희망, 청순, 명상, 정숙, 해방,
신비, 분석

③ BLUE Ⅲ

핵심 키워드

고독, 우울, 사려 깊음, 신중한 지식, 깊은 사색, 영성, 종합적 판단,
냉혹, 슬픔, 진정, 의기소침, 통찰

남색은 깊은 파랑의 색이다. 통찰력이 강한 색이며, 사물에 대한 집착보다는 초연함과 관련이 많은 색이다. 초연함은 삶에 대한 철학적 통찰로 이어져 깊고 넓은 의식 세계를 뜻하기도 한다. 즉, 지성과 이성의 색이며 상황에 대한 객관적 판단을 가능하게 하는 통찰력의 색이기도 하다.

따라서 남색은 지적인 분위기를 풍기는 의복에 많이 사용된다. 그러나 파랑의 우울이 남색의 우울로 깊어지는 경우 지나치게 내성적이고 고독한 감정을 불러일으키며, 남색의 이성적인 면모는 때로 지나치게 차가워 보일 수도 있다. 남색에 검은색이 많이 섞일수록 감정을 더 아득한 심연으로 이끌어 깊은 고독에 빠지게 할 수 있다.

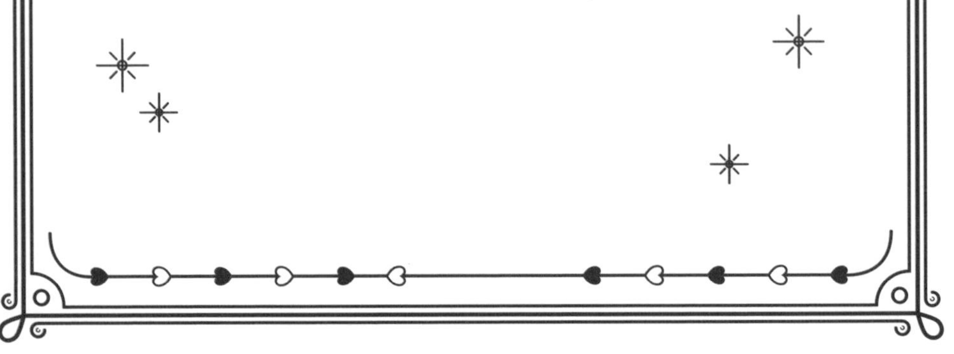

① INDIGO I

핵심 키워드

신선, 평온, 차분함, 정적임, 침착함, 신중함, 관조, 잠재의식

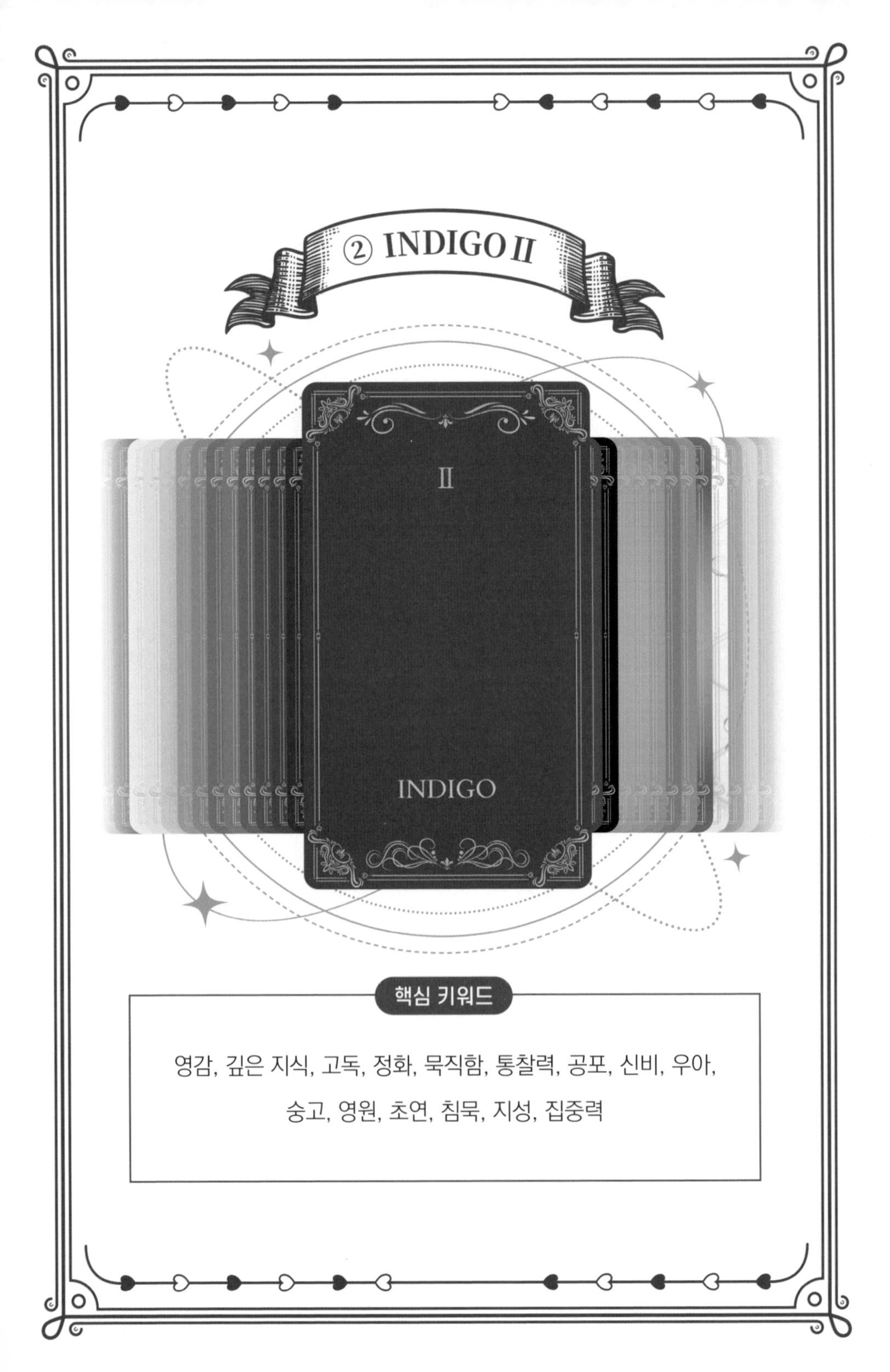

② INDIGO Ⅱ

핵심 키워드

영감, 깊은 지식, 고독, 정화, 묵직함, 통찰력, 공포, 신비, 우아, 숭고, 영원, 초연, 침묵, 지성, 집중력

③ INDIGO Ⅲ

핵심 키워드

정화, 포용, 가라앉음, 우울, 까마득한, 심오함, 신비로움, 집착,
고독, 불변, 지혜, 위엄

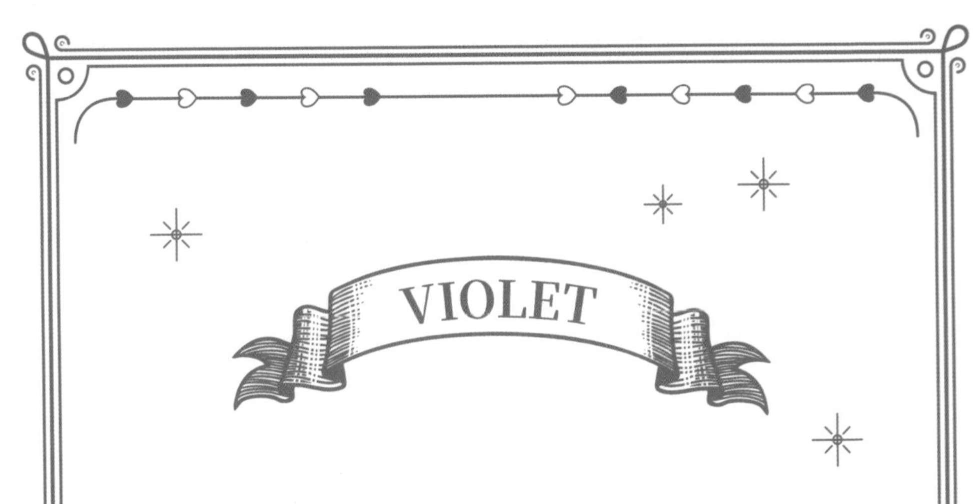

보라색은 품위 있고 우아한 느낌을 자아내는 곳에 사용된다. 보라색을 사용했을 때 인간은 자신을 특별하고 고귀한 존재로 생각하게 된다. 따라서 보라색은 자신감을 향상시켜 자신을 옭아맸던 강박으로부터 자유롭게 하고, 슬픔을 위로하는 자의식, 자신감을 상징하는 예술의 색이다. 금색과 함께 사용되었을 때 더욱 우아한 느낌을 자아내며, 종교적으로 영성을 이끌어 내어 신비로운 분위기를 자아낸다. 보라색의 귀족적인 분위기는 클래식한 분위기를 자아내어 의상, 소품 등에 활용되었을 때 기품 있고 화려한 느낌을 준다. 하지만 흰색과 섞인 보라색은 미성숙한 자아를 나타내기도 하며, 검은색과 섞였을 때 자기 자신만의 세계에 갇혀 고압적인 태도를 보이거나 자신을 외부로부터 고립시키는 사람의 외로움, 슬픔을 나타내기도 한다.

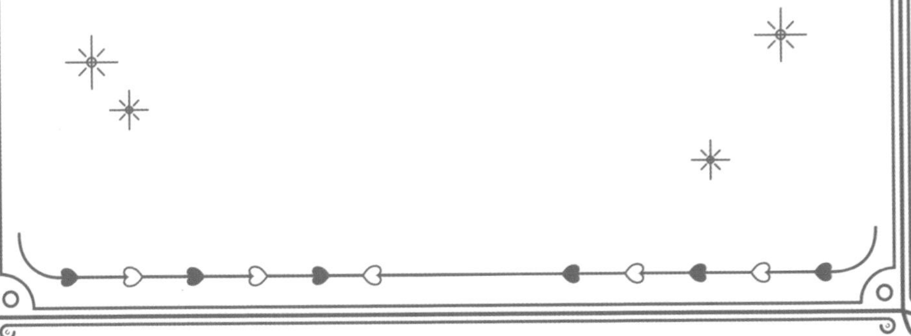

① VIOLET I

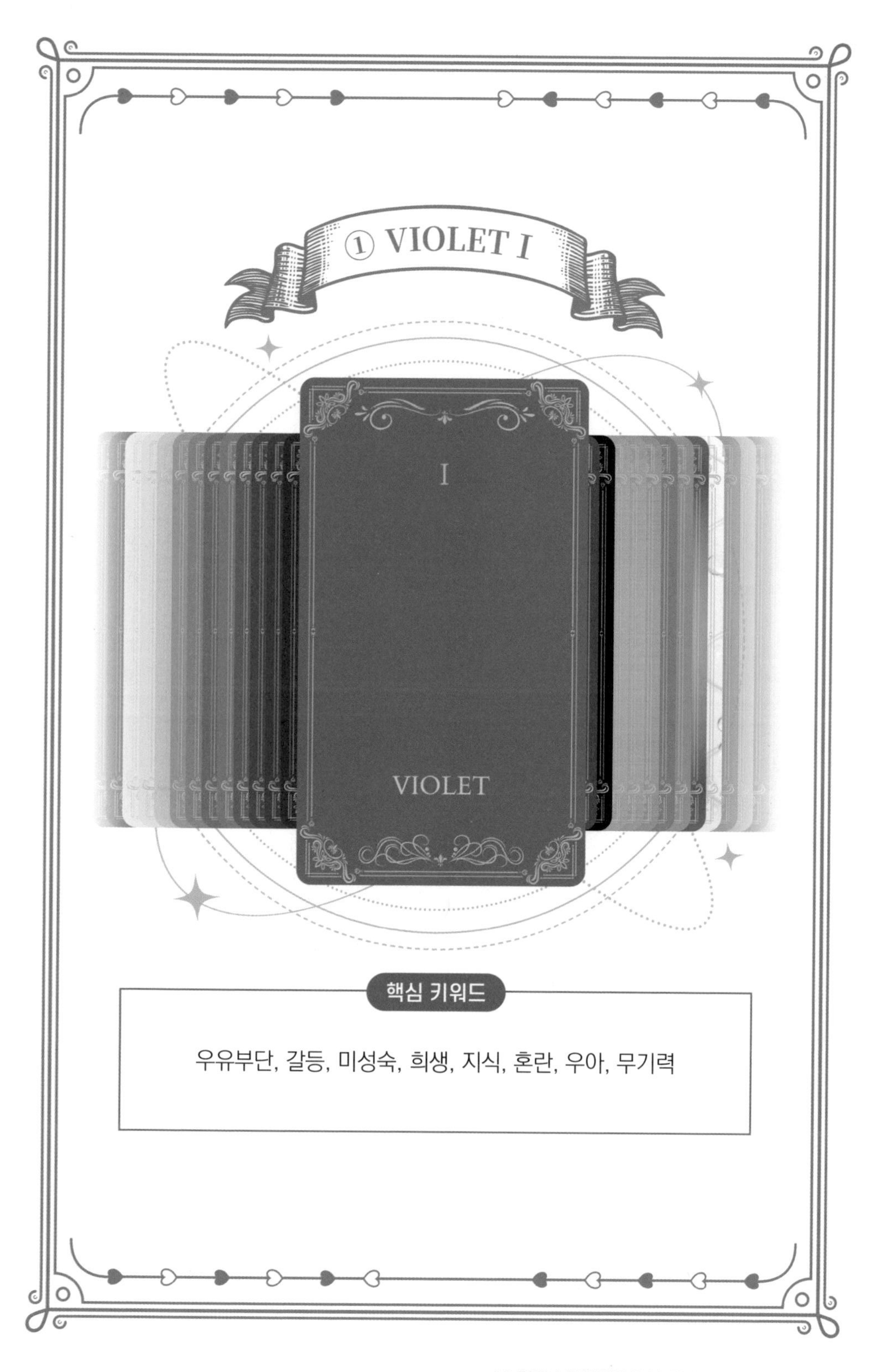

핵심 키워드

우유부단, 갈등, 미성숙, 희생, 지식, 혼란, 우아, 무기력

② VIOLET II

핵심 키워드

영성, 신앙, 공허, 신비로움, 고상, 성숙, 풍부, 보호, 자비, 지혜,
공포, 예술, 우아, 위엄, 중용, 화려함, 자신감, 스트레스

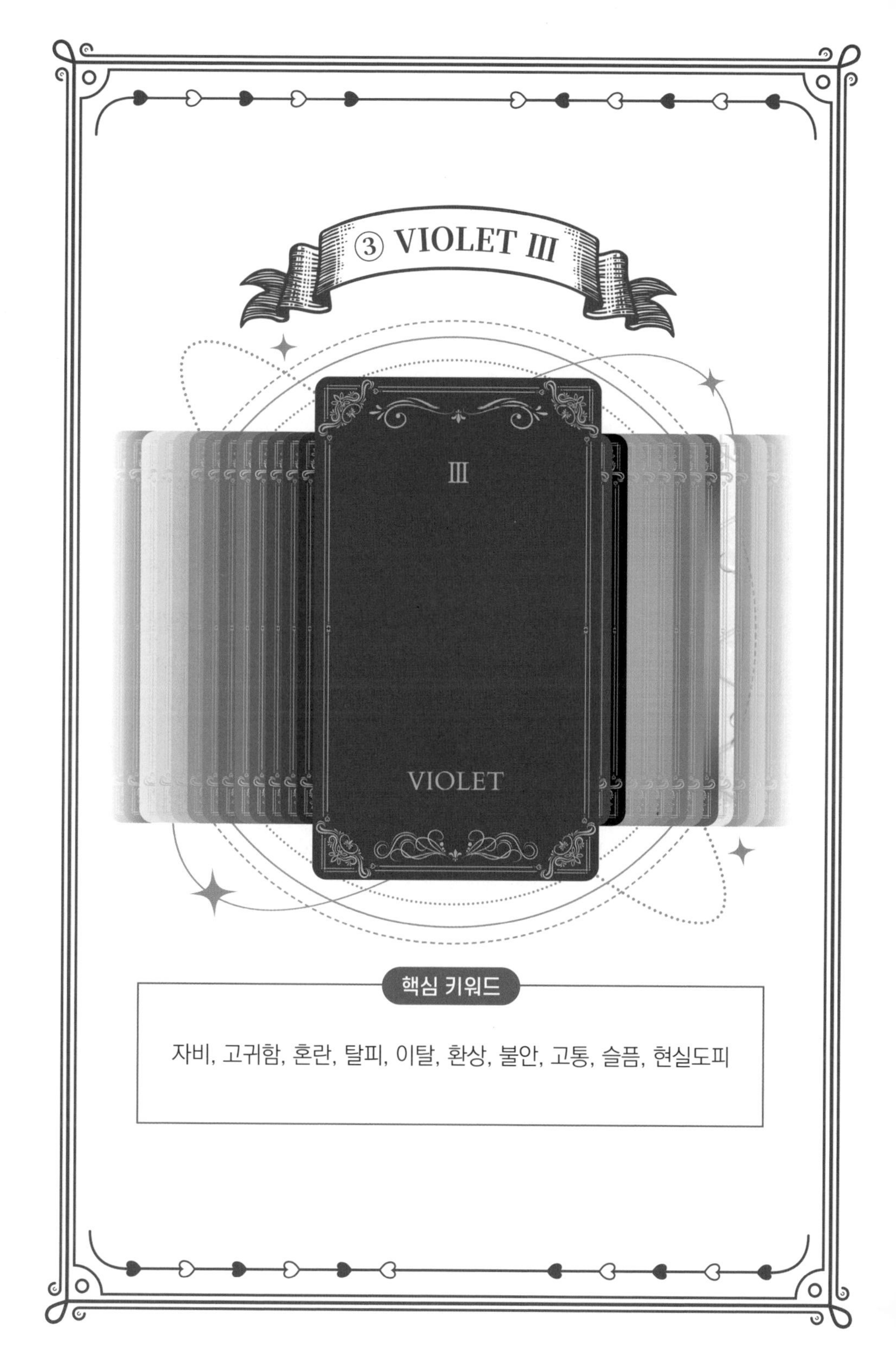
③ VIOLET Ⅲ
Ⅲ
VIOLET
핵심 키워드
자비, 고귀함, 혼란, 탈피, 이탈, 환상, 불안, 고통, 슬픔, 현실도피

흰색은 순결, 깨끗함의 의미로 사용된다. 때문에 종교에서 흰색은 기쁨, 신성함을 상징한다. 때 묻지 않은 순수의 상징이며 어떠한 색으로도 치우쳐 있지 않기 때문에 인테리어에 보편적으로 이용되는 색이다. 누군가와의 심적, 육체적 다툼에서 벗어나 중립의 상태로 돌아가고 싶을 때 항복의 의미로 사용되기도 하는 색이다. 또한, 흰색의 깨끗함은 청결, 위생과도 관련되어 병원, 식당 등에서 유니폼으로도 널리 사용된다.

그러나 흰색은 한 치의 티끌도 용납하지 않는 완전함과 자존심의 색으로, 완벽주의와 고독의 색이기도 하다. 따라서 완벽한 흰색은 다른 색과의 공존을 허락하지 않기 때문에 고독함, 공허함을 느끼기 쉬운 색이다. 흰색이 어두운색과 섞이면 자연스러운 신체적 · 정신적 상태가 훼손되었음을 의미하며, 부자연스러운 느낌을 준다.

핵심 키워드

순수, 신성, 자연스러움, 가능성, 반사, 고독, 부활, 청결, 순결, 깨끗함, 소박, 정직, 공허, 새로움, 단순, 숭고, 죽음, 시작, 투명

핵심 키워드

때 묻음(오염), 부자연, 냉담, 건강 훼손, 위엄, 무한, 상처

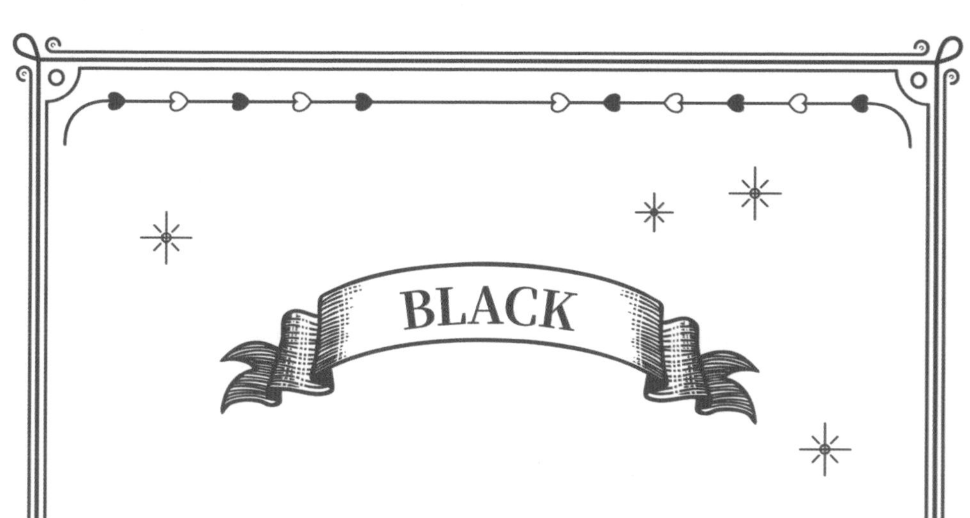

검은색은 엄숙함, 위엄, 권위의 색이다. 현대 사회에서 검정은 품위 있고 세련된 색으로도 사용된다. 검은색 정장은 공식적인 자리에서 품위와 무게감을 주며, 세련된 느낌을 주고자 하는 제품들에도 검은색이 사용된다. 하지만 검은색은 어둠 속에 존재하는 알 수 없는 미지와 그에 대한 절망, 허무, 공포를 뜻하기도 한다. 따라서 소설이나 영화에서 죽음이나 끝을 나타낼 때 검은색의 이미지를 많이 사용하며, 장례식장에서는 검은색 상복을 입는다. 특히 어떤 빛도 허용하지 않는 까마득한 검은색이 주는 불안감은 죽음을 너머 종말과 악한 마음을 상징하기도 한다. 하지만 검은색은 모든 빛을 흡수하는 색이기 때문에 지나치게 많은 감정으로 고통받는 이들에게는 편안함을 줄 수 있다.

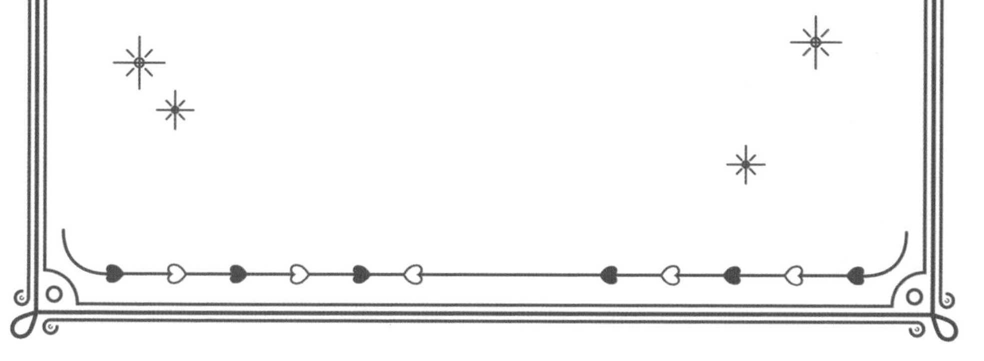

① BLACK I
I
BLACK
핵심 키워드
그림자, 우울, 건강 훼손, 혼란, 포기, 고독, 허무, 무지, 부정

② BLACK Ⅱ

핵심 키워드

부정, 절망, 어둠, 배신, 종말, 죽음, 힘, 공포, 두려움, 암흑, 허무, 불안, 악, 엄숙, 무게감, 권위, 권력

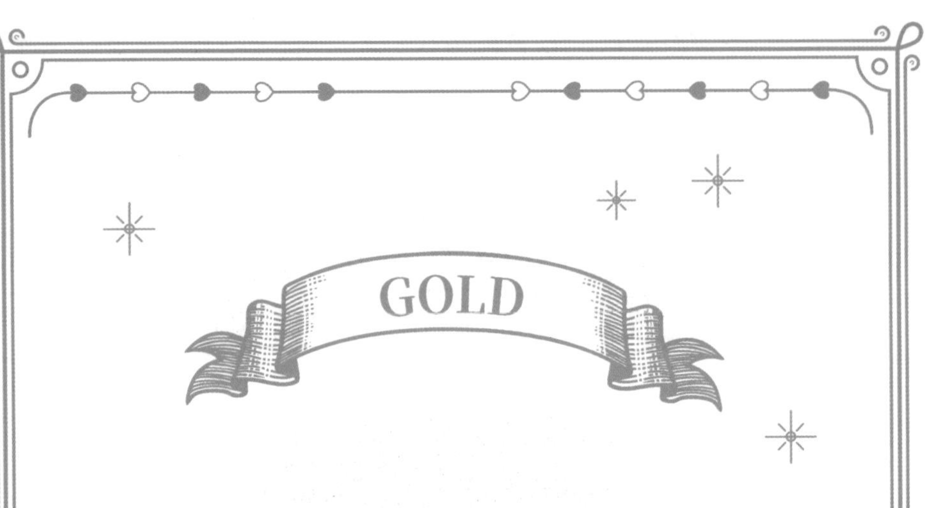

금색은 고귀함, 부, 풍요의 색이며, 권위의 색이다. 금은 불변하는 금속으로 영원성을 상징하기도 한다. 금색은 태양의 빛을 나타내는 데 쓰인다. 따라서 태양의 자비로움과 생명력, 축복의 의미를 전달하는 색이다. 영광의 색인 금은 목표를 달성하고 자아를 완성하는 색이며, 그로부터 환희와 기쁨을 누리는 색이다. 종교적으로는 고귀함을 의미하여 신성을 나타내는 하얀색과 함께 의복에 사용되기도 한다. 경쟁 관계 속에서는 최고의 경지, 군림, 지배를 의미한다. 따라서 금색은 자신감과 지혜를 상징하는 색으로, 기품 있는 의상, 고귀함을 표현하는 예술작품, 장식품 등에 사용된다. 자신에게 금색을 사용할 경우 자신감과 기품을 느낄 수 있으며, 금색을 선물할 경우 사랑, 자비, 축복을 건네는 것으로 해석할 수 있다.

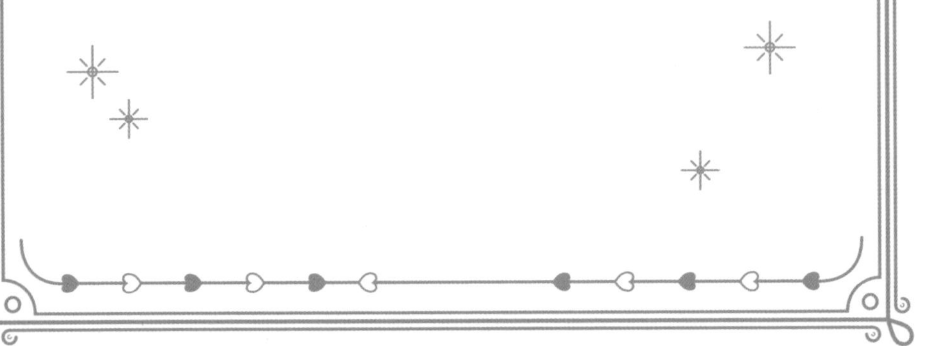

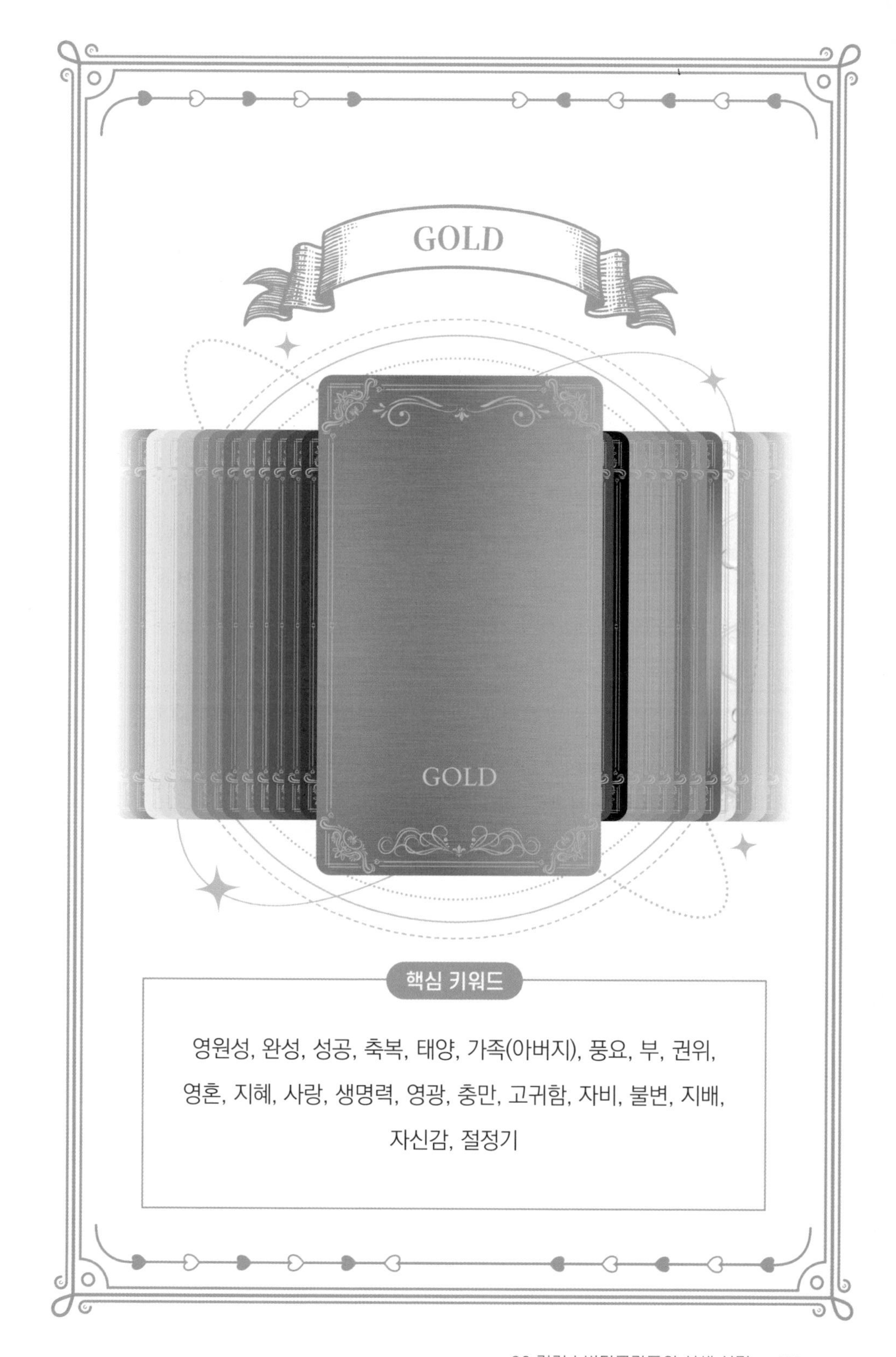

핵심 키워드

영원성, 완성, 성공, 축복, 태양, 가족(아버지), 풍요, 부, 권위, 영혼, 지혜, 사랑, 생명력, 영광, 충만, 고귀함, 자비, 불변, 지배, 자신감, 절정기

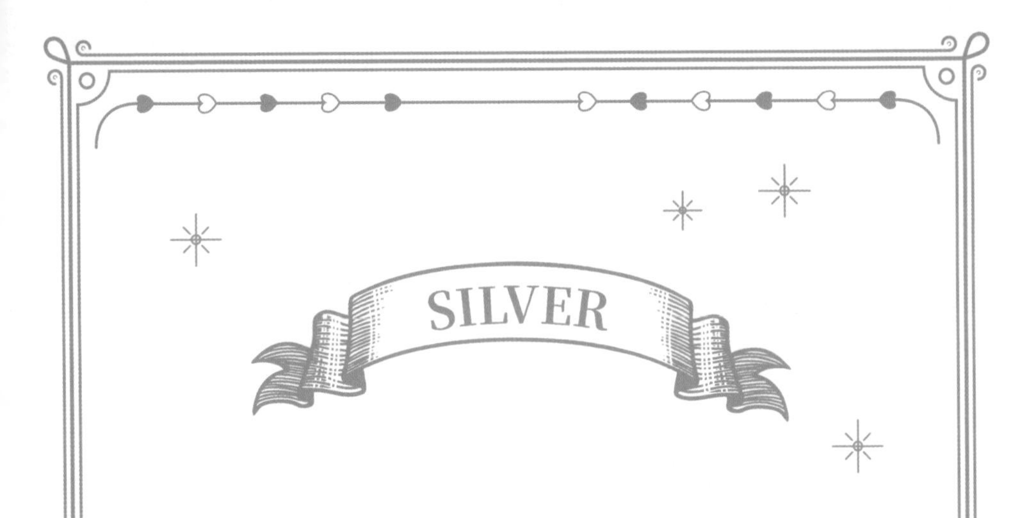

은색은 철, 알루미늄, 스테인리스의 차가움을 담고 있는 색으로, 금속의 차가움, 냉정함, 냉혹함을 상징하는 색이다. 금속처럼 특정한 조건에서 모양을 바꿀 수 있는 가변성의 색이기도 하다. 은색은 도시와 기계, 전자 제품 디자인에 많이 쓰이는 색이다. 따라서 기계적, 보수적, 생산적, 깔끔함의 색이기도 하다.

한편 은색은 밤을 은은하게 밝히는 달빛의 색이기도 하다. 이 경우 은색은 그리움이나 외로움 같은 감정을 자아내며, 변화하는 마음과 영감을 상징한다. 하지만 은색의 빛은 밤에 더 아름다움을 발하기도 한다. 마음 깊이 숨겨져 있던 잠재의식을 끌어내고, 달빛의 아름다움으로부터 영감과 창의력을 얻을 수 있는 색이다.

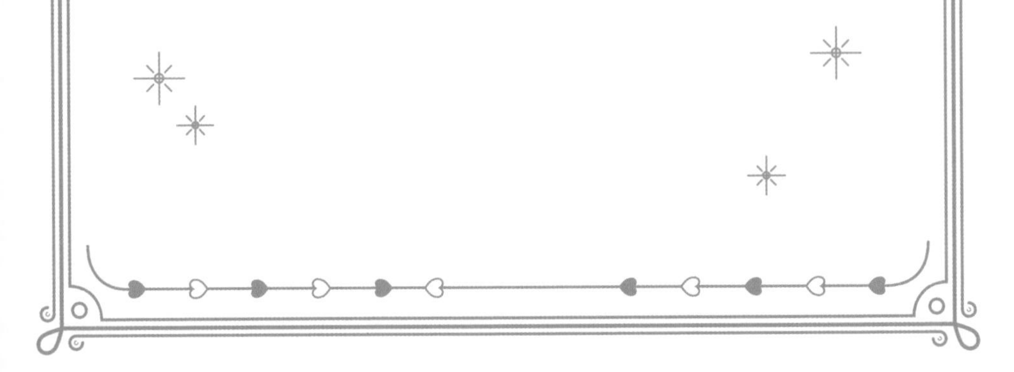

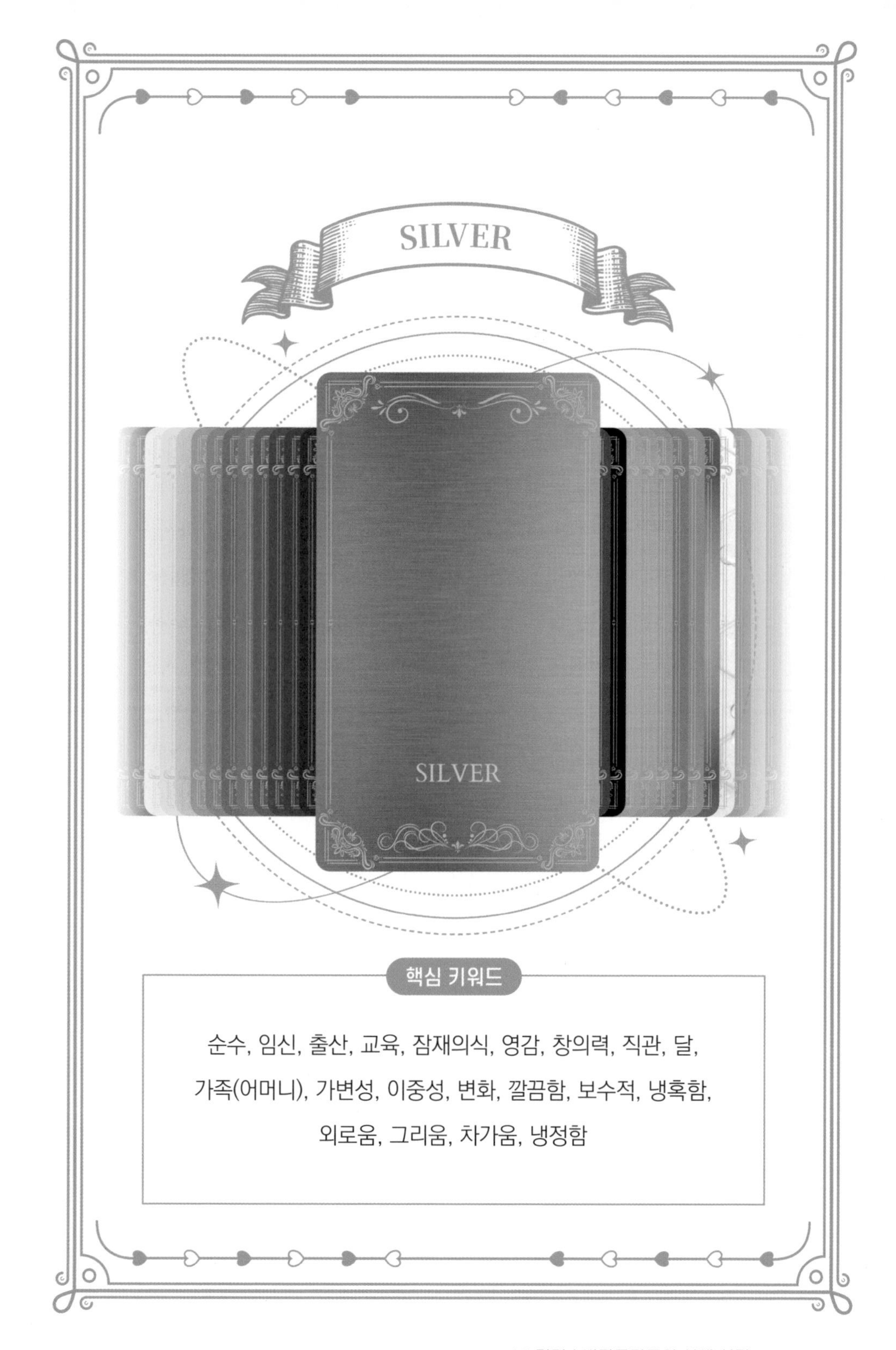

핵심 키워드

순수, 임신, 출산, 교육, 잠재의식, 영감, 창의력, 직관, 달, 가족(어머니), 가변성, 이중성, 변화, 깔끔함, 보수적, 냉혹함, 외로움, 그리움, 차가움, 냉정함

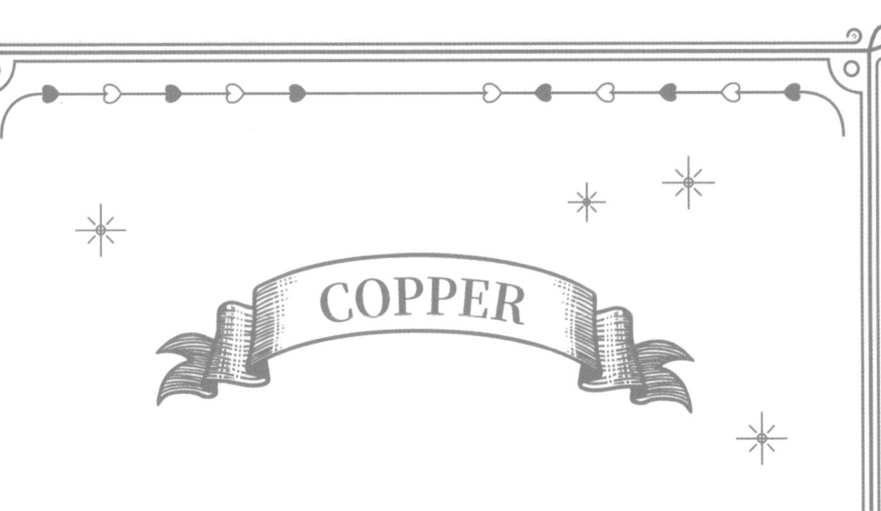

동색은 왕성한 힘과 에너지의 색이다. 기계의 엔진, 열전도 기관에 사용되는 금속인 구리의 특징은 동색에도 적용된다. 따라서 구리는 에너지, 원동력, 순환, 대화의 색이면서도 과열되지 않는 통제력을 나타내는 색이다. 구리의 높은 열전도율은 전선, 요리 도구에 쓰일 때 빛을 발한다. 따라서 구리는 전도, 교류, 대화, 속도의 속성도 가진다. 또한, 화폐로도 사용되는 구리는 풍요, 자원, 교환을 상징하는 색이다. 동색은 같은 계열의 색인 갈색처럼 대지의 느낌을 주며, 대지의 생산성과 풍요로움, 성실함을 상징하는 색이기도 하다. 동색은 같은 금속의 색인 은색보다 부드럽고 성숙한 색이다. 인테리어에 사용했을 때 고풍스럽고 우아한 느낌을 주며, 햇볕에 그을린 건강한 피부의 색이기도 하다.

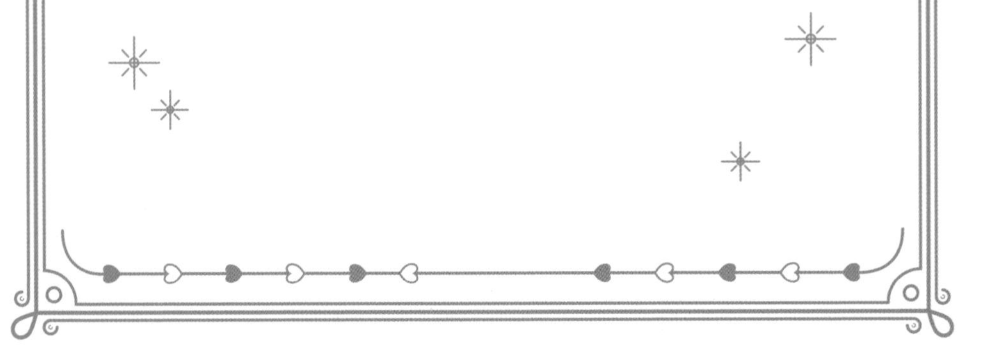

COPPER
COPPER
핵심 키워드
자원, 대지, 풍요로움, 생산, 성숙, 속도, 건강, 신비, 감수성,
에너지, 순환, 대화, 건강, 성실함, 원동력, 교류, 동기부여

청록색은 초록색이 가지는 균형과 파란색이 가지는 평화로움을 동시에 지니는 색이다. 초록색보다 더 부드러운 느낌을 주는 청록색은 안정감을 주기 위한 공간을 꾸미는 데 사용되며, 깊은 삼림의 청량함을 표현하는 데도 쓰인다. 안정감을 주는 색인만큼 이론적인 생각을 추진하고 발전시켜 나갈 때 도움을 주는 색이기도 하다. 청록색이 가득한 공간에서 인간은 숲을 생각하며, 생명이 부드럽게 약동하는 숲의 공간 안에서 안정감과 편안함을 느낀다. 숲은 수많은 생명이 공존하는 창조의 색이 가득한 곳으로, 이곳에서 청록색은 연대, 협력, 대화를 통해 치유를 가능하게 하는 색이다. 청록색은 다른 이를 정화하고 축복하는 색이고, 연대를 통해 승리하는 색이다. 따라서 청록색을 사용하면 마음의 안정과 기쁨을 동시에 느낄 수 있다.

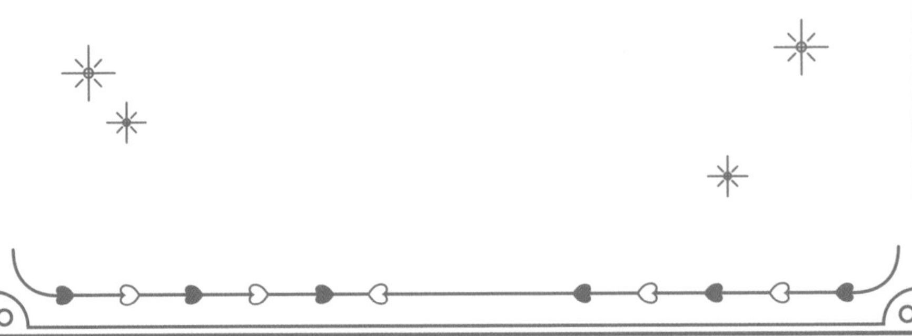

핵심 키워드

안정, 승리, 균형, 신선함, 자연스러움, 정화, 순환, 평온, 냉정, 축복, 이성, 협력, 대화, 청량함, 의사소통, 연대, 신비로움, 순수함, 창조력, 생명력, 성취, 힐링, 치유

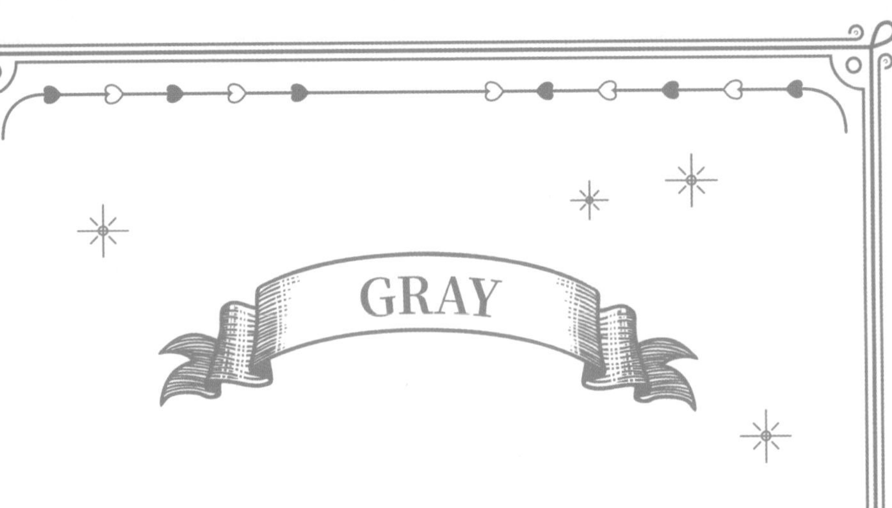

회색은 무채색인 흰색과 검은색의 결합으로 만들어진 중간색이다. 다른 색들처럼 분명한 개성을 가지는 색은 아니다. 따라서 회색은 중간적인 의미, 즉 자기주장이 없거나 의도를 알 수 없는 색, 회색분자 등으로 여겨지는 색이다. 그러면서도 회색은 세련되고 격식 있는 색이기도 하다. 정장과 같은 격조 있는 옷차림에 쓰이는 회색은 지적이고 이성적인 분위기를 풍긴다. 회색은 이성적 사고를 통해 체계적으로 심사숙고하는 색이다. 시멘트, 콘크리트의 색, 현대 도시를 나타내는 대표적인 색으로, 도시의 냉철함의 색이면서도 동시에 도시에서 겪을 수 있는 이기심, 무관심, 그리고 그로부터 얻을 수 있는 불안, 무기력, 의욕 저하의 색이기도 하다.

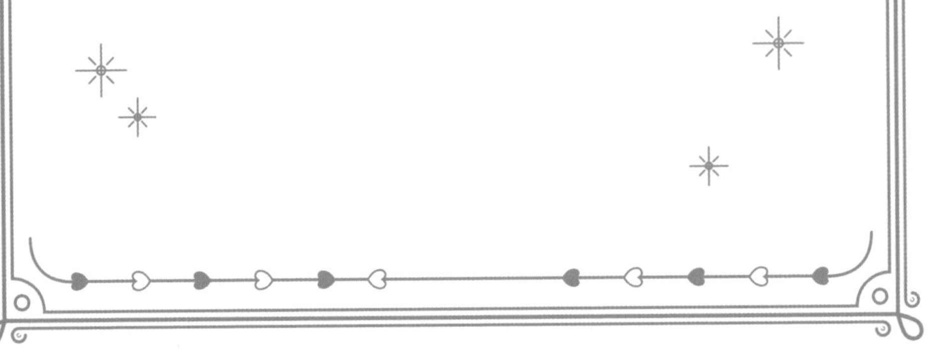

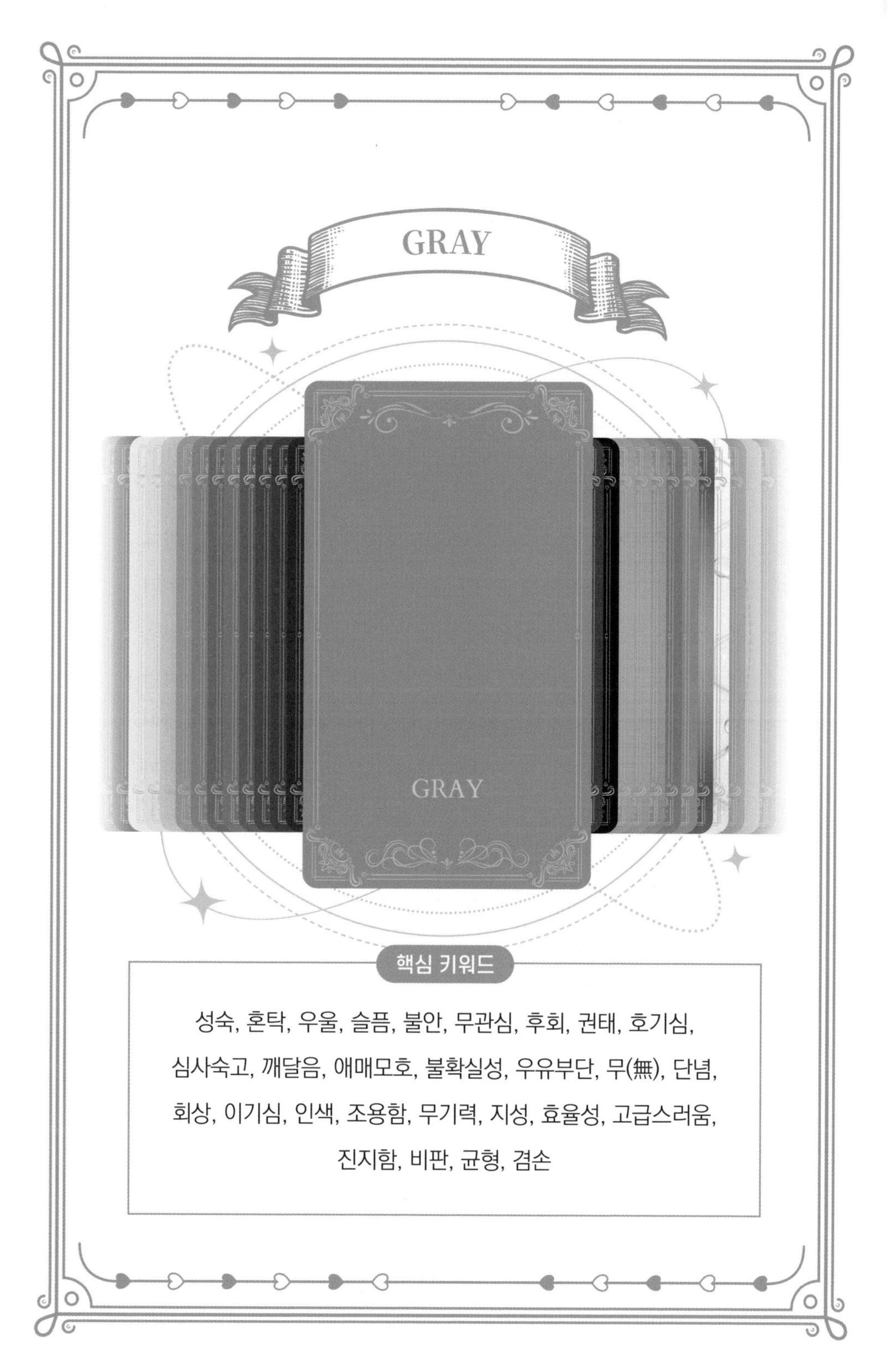

핵심 키워드

성숙, 혼탁, 우울, 슬픔, 불안, 무관심, 후회, 권태, 호기심, 심사숙고, 깨달음, 애매모호, 불확실성, 우유부단, 무(無), 단념, 회상, 이기심, 인색, 조용함, 무기력, 지성, 효율성, 고급스러움, 진지함, 비판, 균형, 겸손

무지개색은 다양한 색을 조화롭게 포괄하는 색이다. 다재다능함을 설명하기에 좋은 색이며, 많은 사람이 모이는 페스티벌에 사용되었을 때 화려함과 즐거움을 줄 수 있는 색이다. 비가 온 뒤에 뜬다는 무지개의 특성은 원형적으로 희망을 상징하기도 한다. 하지만 무지개에는 다양한 색깔이 공존하기 때문에 현란하지만 복잡하고 부산스러운 느낌을 주며, 확실함이 없는 색이다. 따라서 무지개색은 엄숙하고 조용한 자리보다는 떠들썩하고 에너지가 넘치는 공간에 사용되었을 때 그 장점을 잘 살릴 수 있다. 무지개색이 여러 사람의 장점을 조화시켰을 때 창의력과 창조력은 배가 되어 긍정적인 에너지를 분출할 수 있다.

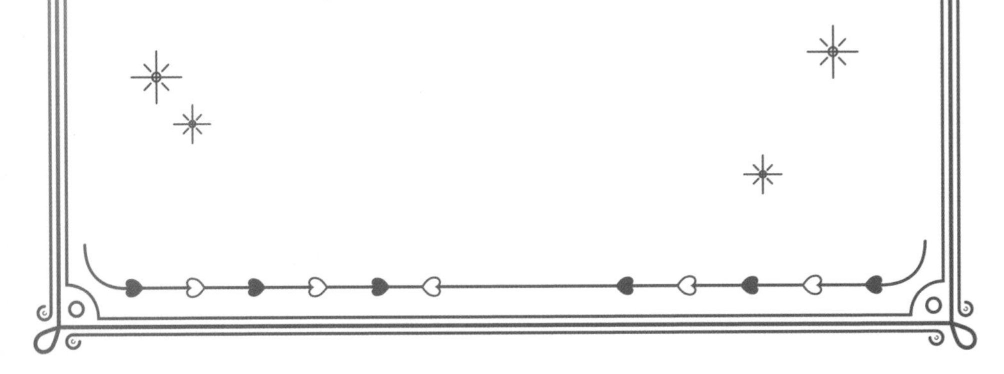

RAINBOW
RAINBOW
핵심 키워드
활발, 조화, 화려함, 개성, 무질서, 즐거움, 기쁨, 희망, 창조력,
창의력, 다재다능, 자유, 애매모호, 불확실성, 복잡, 분출, 영광,
갈등, 혼란, 독특성

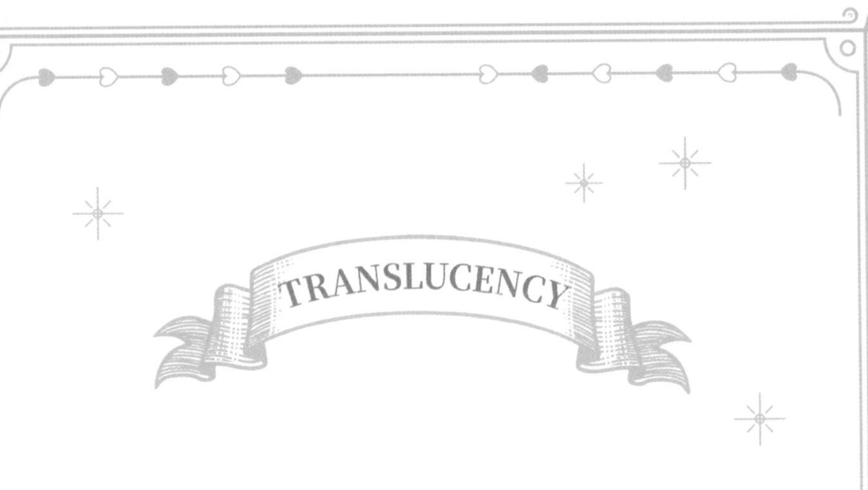

안개색은 그 실체를 파악하기 어려운 색이다. 안개 속에 가려진 존재의 형체는 볼 수 있으나, 그 존재가 무엇인지 명확하게 밝힐 수 없다는 점에서 안개색은 미지의 것을 인지하는 예리하고 지적인 인간상과 관련이 있다. 따라서 안개색은 통찰력, 합리성, 지식, 프로그래밍, 합리적 예측을 상징하는 색이다. 통찰의 과정에서 대화와 회의로 문제 상황을 분류 및 분석하기에 능한 색이다. 하지만 안개색은 애매모호하고 불확실한 색이며, 안개 뒤에서 포착하지 못한 이중성을 나타내는 색이기도 하다. 또한, 안개 속에서 빛이 굴절되듯 뜻하지 않은 일이 생기는 것을 의미하는 색이기도 하기 때문에 그에 대한 초조함과 불안함을 불러일으키기도 한다.

육각형의 벌집은 벌집 무게의 무려 30배나 되는 양의 꿀을 저장할 수 있을 정도로 안정적이고 공간 활용도가 높으며, 건물의 뼈대, 고속열차의 충격 흡수, 제트기의 기체 구조 등에 사용된다. 따라서 안개색은 체계적이고 안정적이라는 의미도 갖는다.

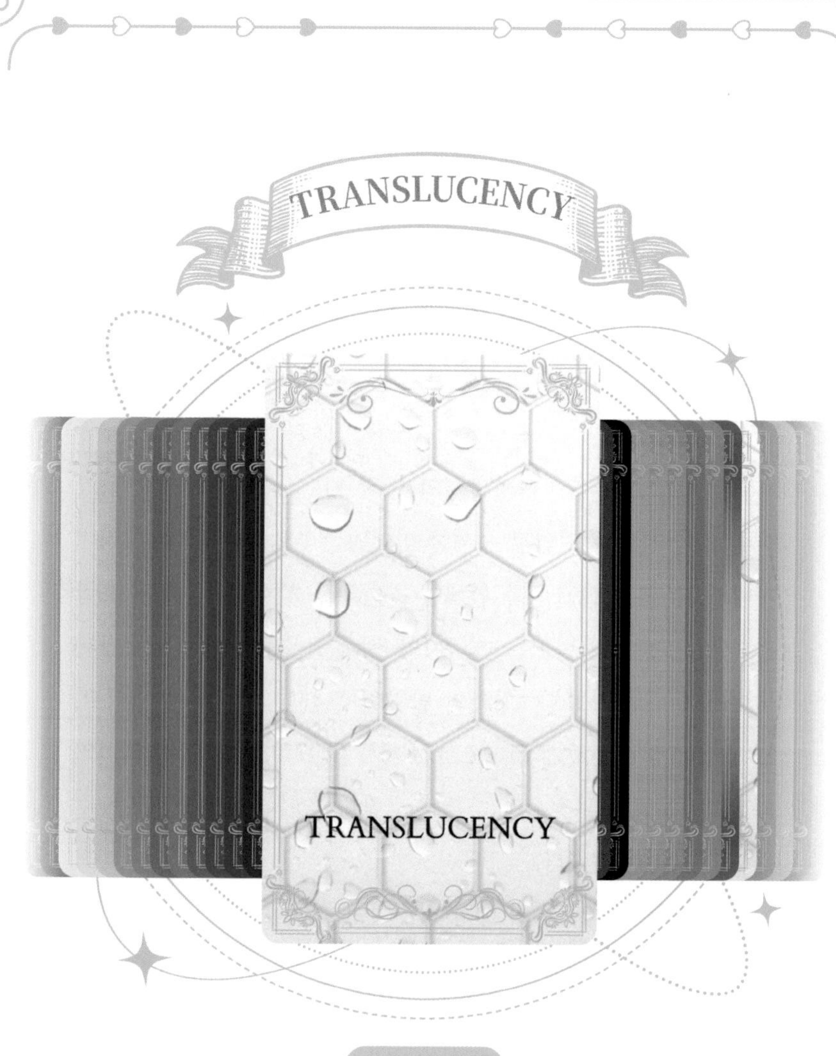

핵심 키워드

이중성, 애매모호, 불확실, 연계성, 연관성, 부정확, 굴절, 혼란, 스트레스, 이성, 논리, 사고, 분석, 통찰, 합리성, 초조함, 불안함, 예측, 체계적, 안정적, 구조화, 외유내강, 견고함, 내구성, 탄력성

분홍색은 이전에는 여자아이의 상징으로 사용되어 왔다. 하지만 분홍이 가지는 귀엽고 섬세한 이미지는 여성만이 갖는 특징이 아니다. 분홍은 빨간색과 흰색이 공존하는 색이다. 분홍에 포함된 흰색은 빨강의 넘치는 에너지와 활기를 용해하여 빨강보다는 부드러운 느낌을 준다. 청춘의 발랄한 모습을 대표하는 색이고, 그 사이에서 풋풋하게 피어오르는 사랑을 표현할 수 있는 색이기도 하다. 따라서 분홍은 대다수의 사람이 호의를 보일 수 있는 순수하고 친근한 색이다.

한편 분홍은 우리 몸의 색과 비슷하여 혈색을 나타내는 색이기도 하다. 여성의 약한 이미지와 결합했을 때는 보호받아야 하는 색으로 여겨지지만, 빨강의 정열을 포함하고 있기도 하므로 지나치게 많이 사용되었을 때는 화려하고 경박한 느낌을 주기도 한다.

핵심 키워드

순수한 사랑, 첫사랑, 로맨스, 행복, 부드러움, 친근감, 청춘, 신선함, 아름다움, 매력, 섬세함, 연약함, 혈색, 건강함, 쾌활함, 발랄함, 귀여움, 여성스러움, 우유부단

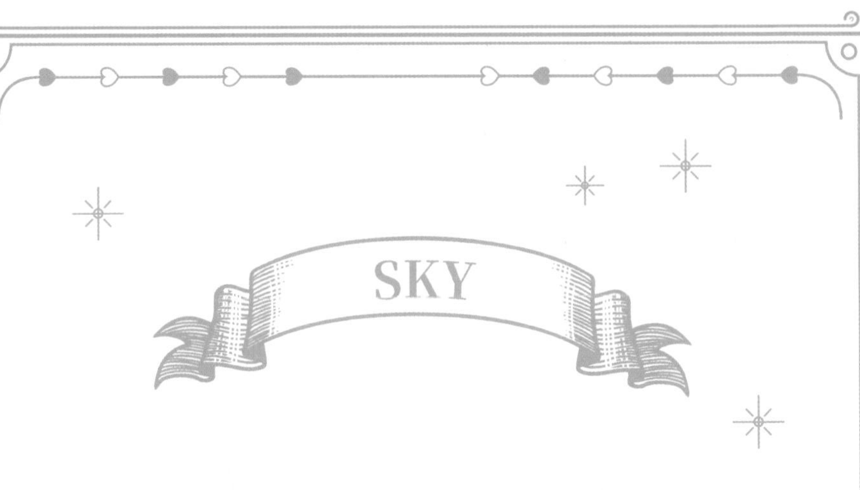

하늘색은 파란색에 흰색이 섞인 색으로, 파랑이 가지고 있는 청량감과 상쾌함이 극대화된 색이다. 파랑이 가지고 있는 자유롭고 안정적인 느낌에 하얀색의 순수함이 추가되어 하늘색은 자유로움, 깨끗함, 시원함, 해방감을 주는 색이다. 또한, 하늘색은 종교적인 측면에서 천국, 신비로움, 희망, 소망, 자유, 질서를 상징하는 색이다. 하늘의 색 가운데 가장 맑은 하늘의 색인 하늘색은 원형적으로 이상향을 뜻하는 색이다. 하늘색을 사용하면 이상향에 대한 기대감을 주며, 성취에 대한 의욕을 불러일으킨다. 이는 문제 해결의 후련함으로 이어지는 특징이 있다. 따라서 하늘색은 긍정적인 에너지를 주는 색이고, 답답한 감정을 해소시켜 후련한 마음이 들게 하는 색이다. 어린아이의 순수함과 가능성을 나타내는 색이라고도 할 수 있다.

핵심 키워드

순수함, 자유로움, 희망, 소망, 질서, 신비로움, 이상적, 가능성, 시원함, 상쾌함, 깨끗함, 문제 해결, 해방감, 후련함, 해소, 청량함

황토색은 빨간색과 노란색이 함께 있는 자연의 색이다. 빨강의 에너지는 흙 속에서 약동하는 생명력으로 발현되며, 노란색은 땅으로부터 솟아나는 풍요로움으로 나타난다. 땅의 황토색, 즉 흙은 자연의 포용력, 따스함, 편안함을 상징한다. 투박하지만 순리에 따라 주체적으로 생산을 지속하고, 정직한 노동의 결과로 풍요로움을 누릴 수 있는 색이다. 생활과 연관이 깊은 색으로, 실용성과 생활력을 설명하는 색이기도 하다. 땅의 부동성과 관련하여 황토색은 편안함과 안정감을 나타내는 색이기도 하다. 황토색은 전통적으로 자연 친화적인 색이지만, 항상 이러한 성격을 갖는 것은 아니다. 땅의 생산성이 인간의 욕망을 자극할 때 물질에 대한 집착이나 배신을 일으킬 수도 있는 색이다.

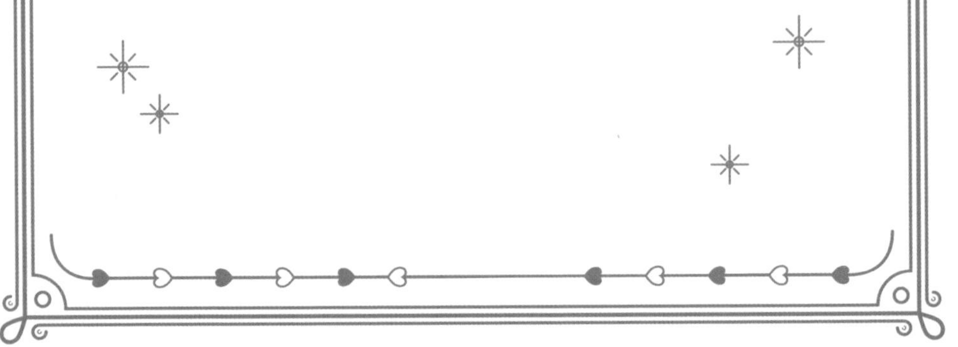

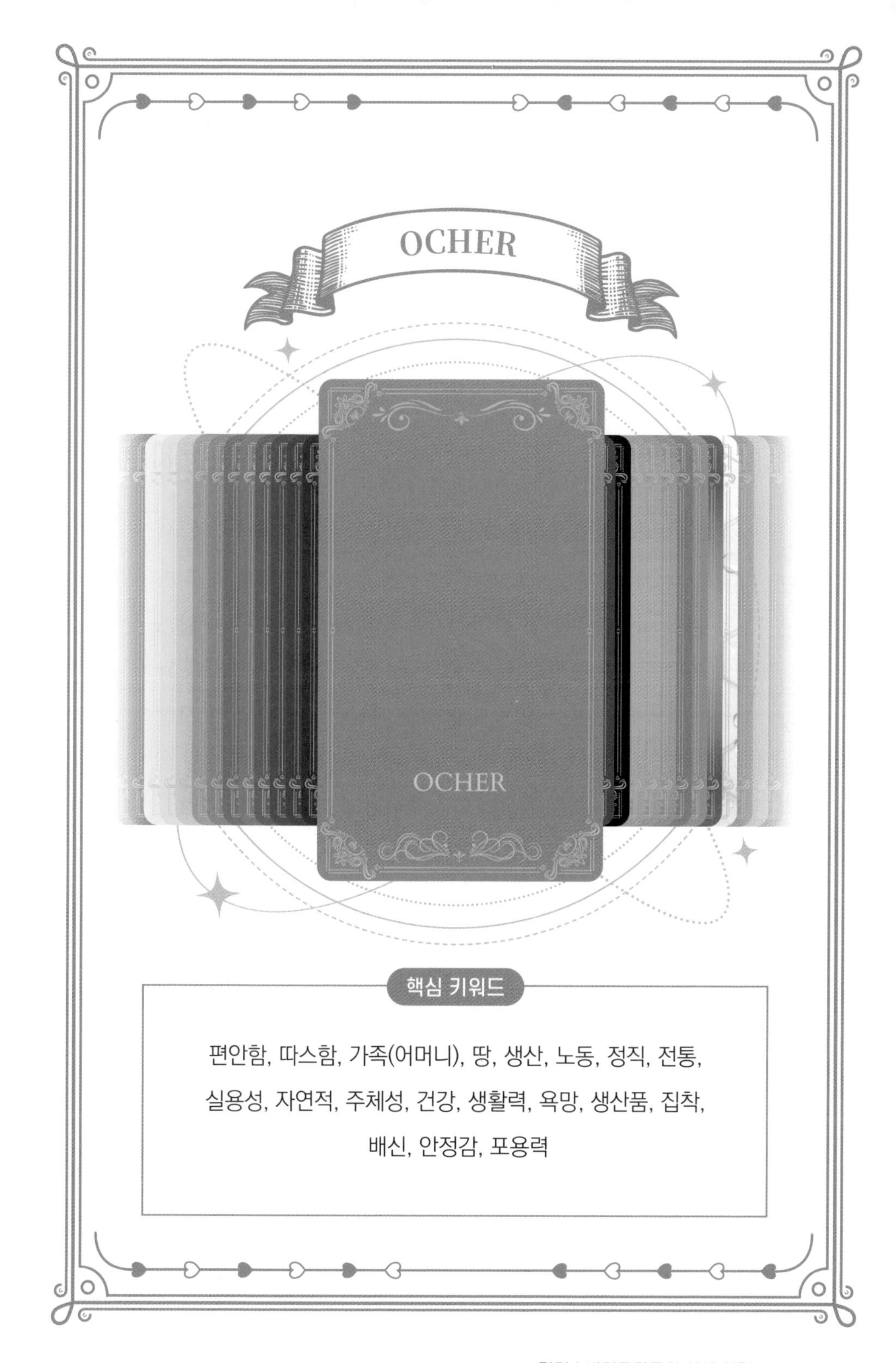

핵심 키워드

편안함, 따스함, 가족(어머니), 땅, 생산, 노동, 정직, 전통, 실용성, 자연적, 주체성, 건강, 생활력, 욕망, 생산품, 집착, 배신, 안정감, 포용력

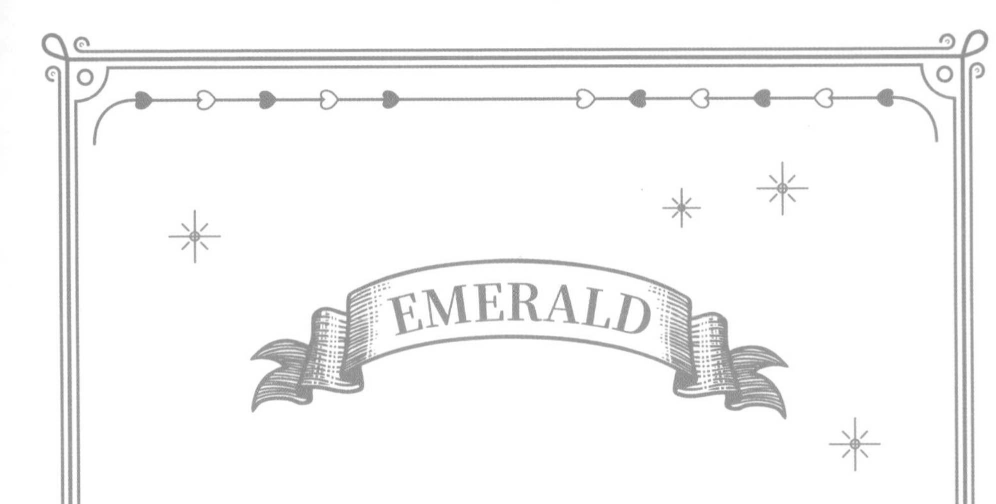

'에메랄드빛 바다', 무엇이 느껴지는가?

에메랄드색은 5월의 아름다움을 나타내는 색이다. 다른 초록색 계열의 색들과 마찬가지로 에메랄드색은 눈의 피로를 덜어 주고, 보는 이로 하여금 편안함과 안정감을 느끼게 해 준다. 에메랄드만의 깨끗하고 맑은 청순한 이미지는 정신을 정화하고 긴장을 완화하는 효과를 주며, 에메랄드의 색을 지닌 사람을 정직한 사람으로 느낄 수 있도록 한다. 한편으로 에메랄드색은 행복감을 끌어올리는 색이며, 행운을 불러오는 색이기도 하다. 에메랄드색을 직접 사용하면 마음의 안정과 정화로 인한 행복감을 주어 긍정적인 마음을 불러일으키기에 충분하고, 상대방에게 선물했을 때 선의와 호의를 보이기에 좋은 색이다.

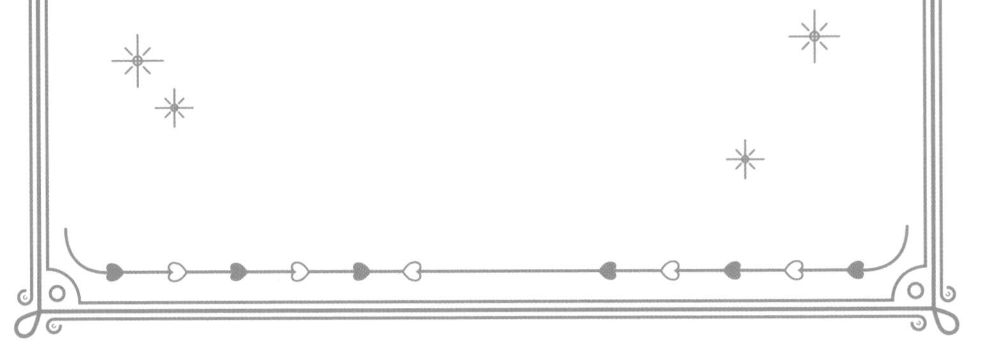

핵심 키워드

행복, 정직, 행운, 안정, 친절함, 선의, 차분함, 정화, 청순, 긍정, 순수, 편안함

2) 수비타로카드

수비학(Numerology)이라는 말은 라틴어 누메루스(Numerus)와 희랍어 로고스(Logos)의 융합에서 나온 단어로 '수에 대한 과학, 논리적 수'로 해석될 수 있다.

거의 세상의 탄생과 같은 무렵, 태고부터 수(數)는 마법적인 힘을 갖고 있어서 일정한 작용을 할 수 있다는 믿음이 형성되어 아주 먼 선조들은 미래를 예언하기 위한 목적으로 수비학을 사용하였다. 또한, 고대 인도 등에서 수는 신성하다는 믿음을 가지고, 수의 신비적 속성에 대한 수비학의 비의(祕意)적 연구를 진행하였으며, 인간 삶에 여러 성스러운 지혜로 접목해 왔다.

현대 사회에도 피타고라스 수비학, 칼데아 수비학, 게마트리아 수비학 등에서 많은 연구와 활용이 이어지고 있다. 특히, 이 중에서 피타고라스 수비학의 활용이 가장 많이 이루어지고 있으며, "인생 여정수(Life Path Number), 운명수(Destiny Number), 혼의수(Soul Number), 성격수(Personality Number), 완성수(Maturity Number), 카르마수(Karma Number), 인생의 절정수(Pinnacle Number), 도전수(Challenge Number), 대주기(Major Cycle), 1년수(Personal Year Number), 1달 수(Personal Month Number)와 1일 수(Personal Day

Number)”[6] 등이 전문 개인 수비 상담에 접목되고 있다. 타로 수비학 전문가가 되기 위한 독자라면, 위 내용을 완벽히 이해하고 적용할 수 있는 실력이 기초임을 숙지하여야 한다.

수비타로카드 36장 중 수비학의 근본이 되는 0~9번까지의 의미는 각 수비타로카드 앞에 간단히 설명한다. 나머지 수비타로카드의 의미 및 추가적인 자세한 전문 내용은 『타로 수비학(2024년 12월 출간 예정)』 책이나 『타로 수비학 전문가 과정』에서 안내할 예정이다.

참고로, 한 자릿수의 수비 타로는 배경색이 1가지 컬러 타로로, 두 자릿수의 수비 타로는 배경색이 2가지 색으로, 세 자릿수의 수비 타로는 배경색이 3가지 색으로 구성된다.

수비타로카드에서는 지면상 36장의 이미지와 구성의 근본이 되는 0~9까지의 간단한 의미와 배경색, 핵심 키워드를 소개한다.

컬러타로카드의 전문 내용은 『Color tarot card 상담전문가(하움출판사, 최지원 외)』를 참고하는 것을 추천하는 것처럼, 수비타로카드의 전문적인 내용은 추후 『타로 수비학(2024년 12월 출간 예정)』을 참고하길 권장한다.

---

6) 『The Complete Idiot's Guide to Numerology(Lagerquist Ph.D., Kay)』 또는 『피타고라스 수비학(홍릉과학출판사, 박은영 역)』을 참조하기 바란다.

0. POTENTIAL POWER(잠재력)

0은 아무것도 존재하지 않는 '비존재, 무(無), Zero', 비어 있는 상태인 'Empty'를 의미하기도 하며, 무한하며 가득 찬 '영원함', 궁극적 신비, 이해할 수 없는 '절대적'이라는 의미를 내포하고 있다. 이런 여러 의미로 0은 수로 인정하지 않기도 하였다.

배경색	RAINBOW
핵심 키워드	자유로움, 잠재력, 시작, 무계획, 자유연애, 경솔함, 상황 인식의 부족, 성과 없음, 비현실적인, 혼돈, 순수한, 낭만적인, 열정에 들뜬, 포기, 자연스러운

1. NEW START (새로운 시작)

숫자 1은 상대방의 능력을 인정해 주는 최고라는 의미로, 주위의 누구보다도 월등하다는 1등이라는 의미, 첫 번째라는 의미로 사용된다. 이 모든 사용에는 긍정의 의미가 강하다.

즉, 숫자 1은 의지적 새로운 시작을 의미한다.

배경색	RED II
핵심 키워드	나, 순수함, 새로운 시작, 의욕적, 근원적인, 독창적, 강인함, 에너지, 목표 지향적, 독선, 독립, 자신감, 개성, 확신, 책임감, 용기, 주관을 발휘하는 최고 능력자, 창조적인 시작, 강인한 리더십, 창조적인 원천, 매력, 능수능란, 자기 통제력, 능력자, 강한 의지, 거짓말, 속임수, 뛰어난 말재주

2. RELATIONSHIP (관계)

숫자 2는 나, 너를 의미하는 대표적인 수이다. 숫자 2는 1+1로, '나'라는 1의 수에 또 다른 '너'라는 1의 수가 만나 2라는 '나-너'라는 '관계'를 형성한다.

이 '관계'가 서로에게 긍정적인 좋은 관계일 경우 조화, 협동의 의미로 사용될 수 있으며, 서로에게 부정적인 나쁜 관계일 경우 대립, 갈등의 의미로 사용될 수 있다.

배경색	ORANGE II
핵심 키워드	지혜로운, 직관적인, 이해력 있는, 내면적인, 신비한, 균형 잡힌, 비밀스러운 관계, 협동, 수용, 중립, 화합, 균형, 조화, 의존, 민감, 수동, 평화, 봉사, 소유, 시기, 질투, 우유부단, 갈등, 대립, 신중, 소극적, 선택, 겉과 속, 어디에도 좌우되지 않는, 보이는 모습과 다른 이중성

3. CREATIVE POWER (창조력)

숫자 3은 2+1=3으로 '나'와 '너'라는 2를 넘어 '우리'라는 확장이 이루어진다. '따라서'라고 읽는 ∴ 기호는 지금까지 여러 과정, 상황의 종합을 의미한다. 기존의 점, 선에서 최초의 면이라는 새로운 영역의 창조를 의미한다. 또한, 면의 창조로 나의 공간, 영역이 생기게 된다.

배경색	YELLOW II
핵심 키워드	종합, 확장, 창조, 활력, 소유, 충동, 창의성, 성장, 생동, 성공, 독창적, 협력, 행동, 사교성, 낙천주의, 결실을 맺는 풍요로움, 나의 영역에서 누리는 행복감, 과정을 거친 후의 결과, 성과, 만족스러움, 성공적인, 모성애가 충만한, 편안한, 임신, 감정적 충만, 시기, 질투

4. STABILITY (안정)

숫자 3이 최초의 면으로 확장, 활동력을 의미한다면, 4는 삼각형 2개가 만나 다시 숫자 2의 균형을 이루는 사각형이 된다. 숫자 4는 2+2=4로 2는 균형을 의미하므로 4는 안정, 기초를 의미함과 동시에 현재의 안정, 기초를 계속 유지해 나가려는 전통적이고 보수적인 수이다. 본인의 전통을 이어가기 위해서는 과거의 청산이 필요하다.

배경색	GREEN II
핵심 키워드	안정, 정지, 질서, 기초, 전통, 신중, 계획성, 현실적, 구조, 권위, 물질, 계약, 현상, 보수적, 실용적, 실천, 가치, 신뢰, 완고함, 체계적이고 안정된, 전통 유지를 위한 권위적인 행동, 현재의 안정 유지를 위한 신중함, 왕권, 권력, 보수적인, 리더십이 강한, 독단, 자기중심적인, 카리스마, 부성애가 충만한

5. CHANGE (변화)

숫자 5는 숫자 4의 평면(삼각형 2개)에서 입체로의 불안정한 변화가 시작된다. 즉, 기초적인 점, 선, 면의 상황에서 새로움을 추구하면서 입체로의 변화가 일어난다. 숫자 5는 2+3이므로 여성과 남성의 결합이라는 의미로 중매, 연결자의 역할을 수행하기도 한다. 새로움을 추구하는 단계에서는 적극성, 활발함으로 인해 상황적으로 어수선함, 불안, 실망, 갈등, 실패 등의 부정적인 요소가 유발될 수 있다.

배경색	BLUE II
핵심 키워드	변화, 산만, 진보, 발전, 불안정성, 불확실성, 진보적, 다양성, 모험적인, 혼란함, 독선, 무책임, 자유로움, 충동적, 이해, 갈등, 복합, 안내, 인도를 위한 조언자(전문가), 변화를 위한 연합, 동맹, 조언자, 안내자, 전문가, 중개자, 보수적인, 교육, 결혼, 관계, 좋은 인연, 정신적인, 전통과 지식

6. IDEAL (이상)

숫자 6은 숫자 5의 불안정한 변화에서 완벽한 입체를 통한 안정적인 이상적 변화를 이루어 낸다. 숫자 6은 3+3=6이고, 3은 협력, 확장을 의미하므로 완벽성을 추구하는 목표 달성, 새로운 변화 등을 의미한다.

배경색	INDIGO II
핵심 키워드	이상주의, 완성, 안정적인, 조화로움, 협력, 창조, 균형감, 완벽함, 평형, 보상, 보호, 책임, 공감, 치유, 균등한 이상적인 관계, 감성의 조화, 안정적인 협력, 사랑, 연인, 매력적인, 결혼, 사랑스러운, 서로 끌리는, 의사소통, 좋은 인간관계, 탁월한 선택, 유혹, 변화, 열정적인, 예술적인

7. SPIRITUALITY (영성)

숫자 7은 숫자 6의 안정적인 이상적 변화 이후 큰 목표 달성을 추구하기 위해 새로운 개혁을 시도하는 수이다. 숫자 7은 3+4=7이고, 3은 협력, 확장을 4는 안정, 물질을 의미하므로 안정(최고의 위치)을 위한 확장을 의미한다. 현재에 만족하지 못하고 나아감에 신중함과 주변의 상황 파악, 조화가 이루어지지 않는다면 어려움에 봉착할 수 있는 수이다.

배경색	VIOLET II
핵심 키워드	새로운 개혁, 준비, 자기 보호, 자아 성찰, 고독, 명확성, 상상, 완벽주의, 분석, 은둔, 현명한, 불안정, 철학, 내면의 이해, 각성, 큰 변화, 완벽을 위한 진취적 활동, 불굴의 의지, 조화, 앞만 보고 나아감, 승리, 결정적 시간, 통제력, 추진력, 결심, 판단, 주도적인, 목표 달성, 강한 의지

8. RESTRUCTURING (재구조화)

숫자 8은 숫자 7의 새로운 개혁을 시도한 후의 완벽한 목표 달성을 위한 안정과 재구조화를 추구하는 수이다. 숫자 8은 4+4=8이고, 2는 균형, 4는 안정을 의미하므로 안정을 위한 확장을 의미한다. 8은 기존의 점, 선, 면으로 시작된 수 체계에서 6의 이상적인 입체를 이루고 목표 달성의 개혁을 의미하는 7까지 확장이 이루어진 전체 상황의 안정을 추구하는 재구조화의 수이다.

배경색	TRANSLUCENCY
핵심 키워드	재구조화, 구조 조정, 전진, 자유로운 이동, 진행, 조직화, 체계화, 야망, 자기 파괴적인, 권한, 권력, 자립, 실용성, 외유내강의 용기, 야망 달성을 위한 인내, 용기, 외유내강, 인내심, 확신, 신념, 지혜로움, 마음을 다스림, 강한 자신감, 내적인 리더십

9. COMPLETION (완성)

숫자 9는 숫자 8의 완벽한 목표 달성을 위한 안정과 재구조화 이후 완성을 의미하는 수이다. 숫자 9는 4+5=9이고, 4는 안정, 5는 변화를 의미하므로 변화를 통한 안정을 의미한다. 9는 한 자릿수 중 가장 큰 값으로 최대, 극대, 완성을 의미한다.

배경색	GOLD
핵심 키워드	완성, 최대, 극대, 종결, 완벽, 달성, 기대, 성공, 인간적인, 독립, 자기 이해, 완전함, 보편적, 일반적, 성취한 지혜, 내적인 성찰, 완성을 위한 자신만의 세상, 목표 달성을 위한 은둔, 신중, 지혜, 자기 이해를 위한 고독, 고독, 현실적으로 어려운, 연구, 자신만의 세계에 몰입하는, 혼자만의 세상, 높은 목표 달성 추구

10. PERFECTION (완전함)

배경색	BLUE GREEN + GOLD
핵심 키워드	완전함, 완벽함, 작은 사이클의 완성을 통한 발전된 시작, 순환, 작은 단계를 구축한 큰 발전(변화)의 시작, 운명적인 만남, 한 사이클의 완성을 통한 한 단계 업그레이드된 새로운 시작, 터닝포인트, 행운, 전환, (배움을 통한)이동

11. JUSTIFICATION (정당화)

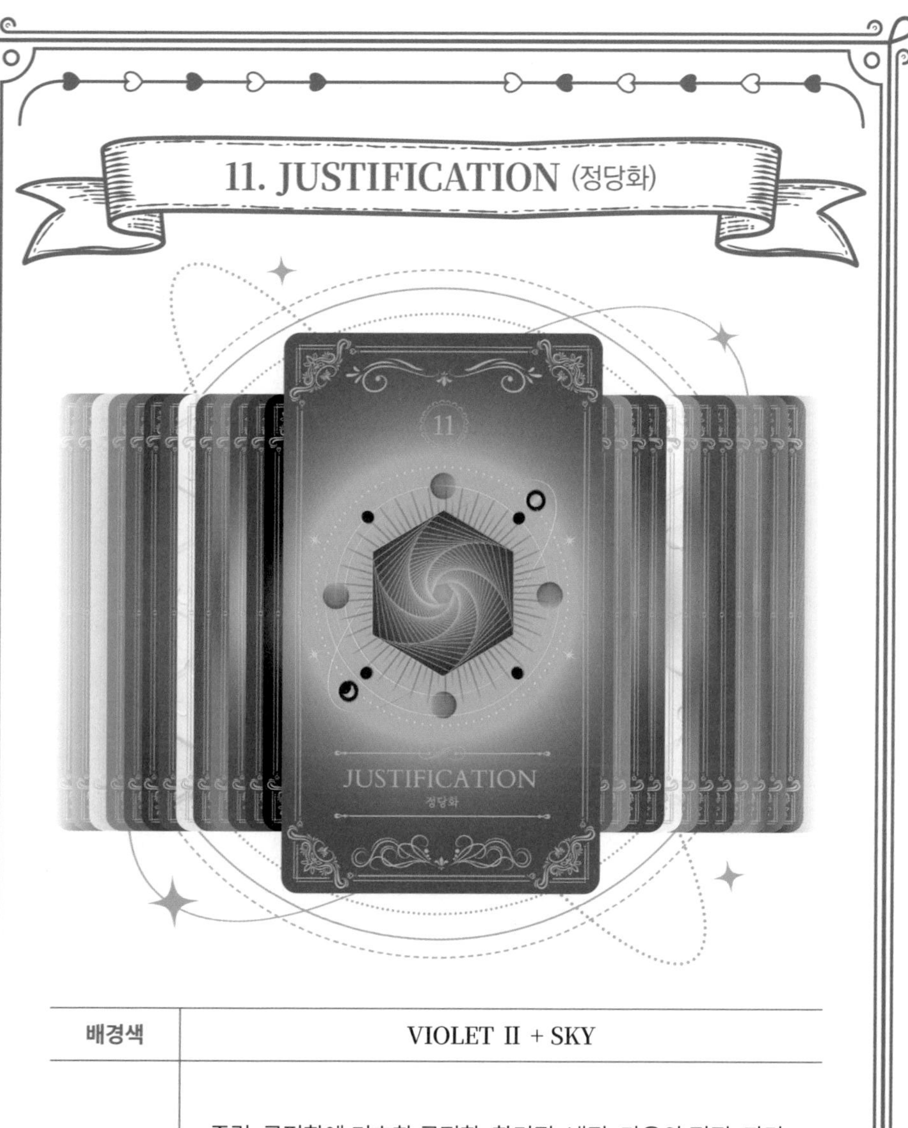

배경색	VIOLET Ⅱ + SKY
핵심 키워드	중립, 공평함에 기초한 공정함, 합리적, 냉정, 마음의 평정, 판단, 감정(한쪽)에 치우치지 않은 법과 질서(합리), 정의, 공평, 균형, 형평성, 엄격, 신중, 결단, 치밀한, 스스로 생각하고 행동하는

12. DESIRE (욕망)

배경색	VIOLET III + ORANGE III
핵심 키워드	정체, 희생과 봉사, 단절, 에너지 충전, 정신적인 수양, 망설임, 관점 바꾸기, 고통, 여유와 기다림, 욕망, 결과를 얻기 위한 결합

13. TRANSFORMATION (변환)

배경색	BLACK II + WHITE II
핵심 키워드	종결과 시작, 단절, 새로운 것을 수용함, 뜻하지 않은 변화, 개혁, 변환, 실패, 안정을 추구하기 위한 시도

14. MODERATION (절제)

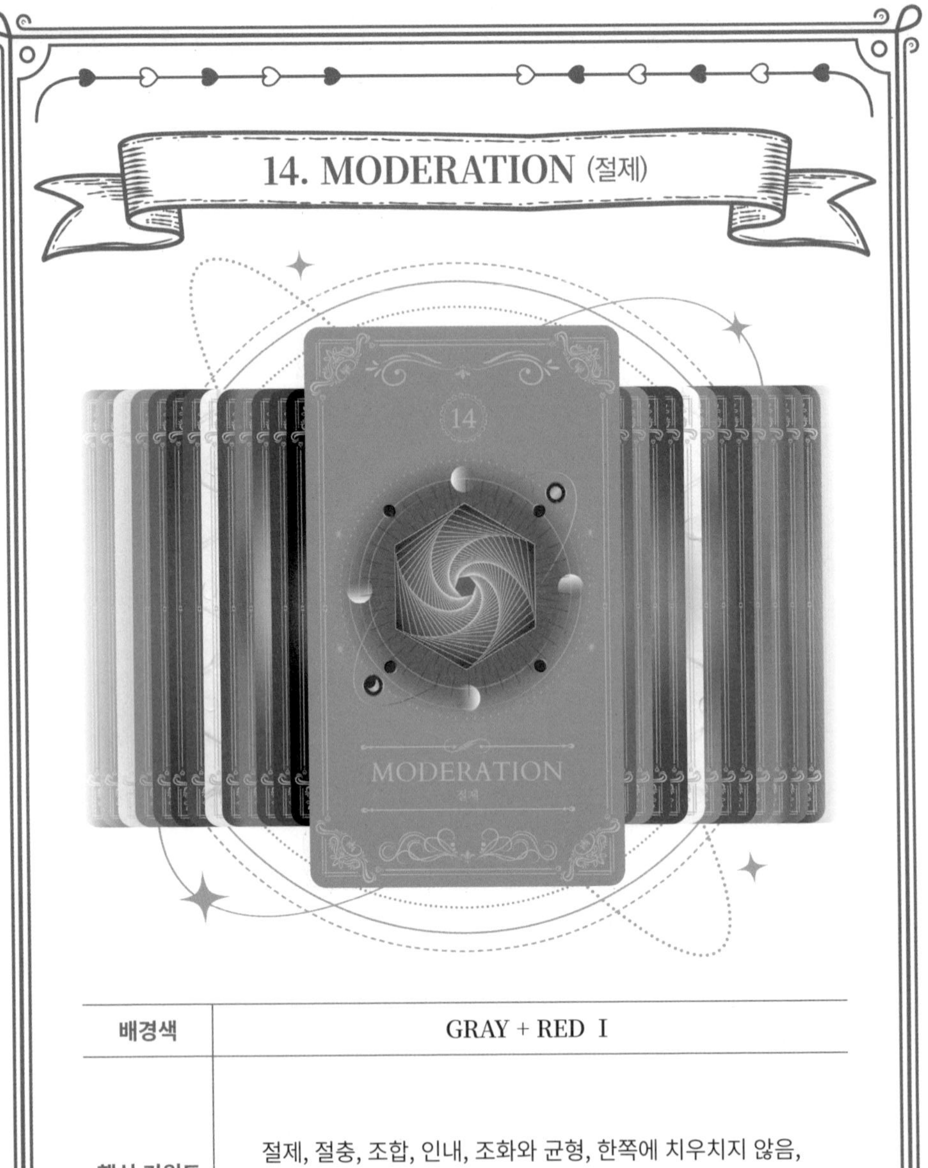

배경색	GRAY + RED Ⅰ
핵심 키워드	절제, 절충, 조합, 인내, 조화와 균형, 한쪽에 치우치지 않음, 수용, 중용, 원활한 교류, 자유로움을 위한 자제

15. STRONG ACTIVITY (강한 활동력)

배경색	RED Ⅲ + ORANGE Ⅲ
핵심 키워드	부적절한 관계, 집착, 육체적인 쾌락, 망상, 중독, 부정적인 사고, 잘못된 사랑, 불합리한 관계, 유혹, 욕망, 강박, 더 큰 이상을 위한 움직임

16. SUDDEN CHANGE (급격한 변화)

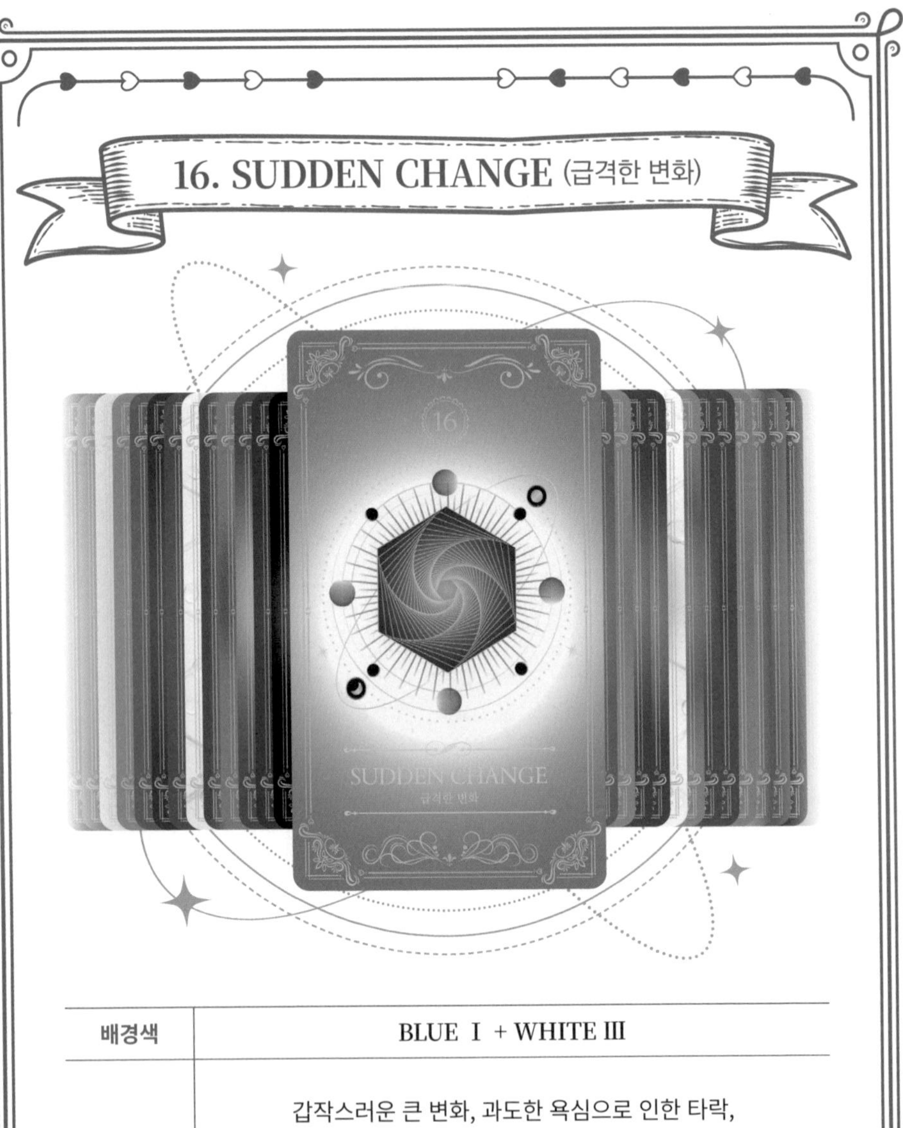

배경색	BLUE Ⅰ + WHITE Ⅲ
핵심 키워드	갑작스러운 큰 변화, 과도한 욕심으로 인한 타락, 안정된 상황의 붕괴, 공든 탑이 무너짐, 충격적인 사건, 급격한 변화, 큰 위기, 갑작스러운 이별, 예기치 못한 피해, 이념 또는 신념의 파괴, 급격한 방향 전환

17. POSITIVE MIND (긍정적 마음)

배경색	YELLOW Ⅰ + WHITE Ⅱ
핵심 키워드	구조 조정을 향한 새로운 희망, 믿음, 신념, 긍정적인 결과, 밝은 전망, 이상적인 상대, 행운, 창조적인, 새로운 시작, 발전적인 단계로 나아감, 풍요로움을 기대하는 마음

18. INTERNAL CONFLICT (내적 갈등)

배경색	BLACK Ⅰ + BLUE Ⅲ
핵심 키워드	완벽함을 추구하는 근심, 걱정, 갈등, 불안, 배신, 속임수, 두려움, 불명확한, 혼란스러운, 더 큰 이상을 위한 진퇴양난

19. GREAT COMPLETION (위대한 완성)

배경색	EMERALD + INDIGO III
핵심 키워드	창조적 시작에 완벽함의 실현, 총체적 성공, 만족, 문제 해결, 목표 달성, 완성, 열정, 밝은 미래, 활기, 긍정적 결과, 활기찬 에너지, 행복한 약속(결혼)

20. EXPECTATION (기대)

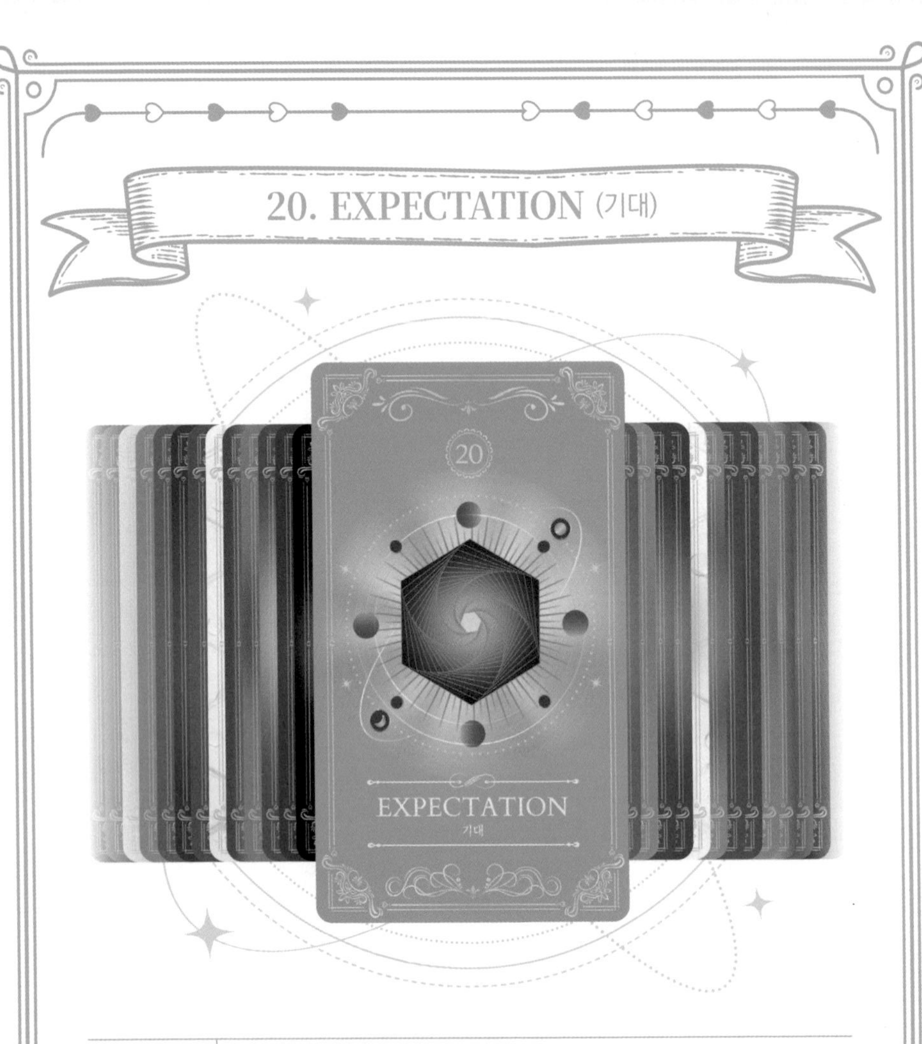

배경색	PINK + SILVER
핵심 키워드	균등에 따른 최종적인 결과(심판), 심판, 좋은 변화, 인과응보, 적절한 타이밍, 보상을 받는, 좋은 소식, 긍정적인 변화, 재회, 최종 목표 달성을 위한 희망감

21. TOTALITY (전체성)

배경색	GOLD + VIOLET Ⅱ
핵심 키워드	정신적, 영적 풍요를 통한 최종적인 완성, 성공, 목표 달성, 풍요, 배움을 통한 완성, 발전, 완벽한 마무리, 완벽, 한 단계 업그레이드된, 새로운 출발, 해피엔딩, 전체적 관계를 통한 창조

22. SYSTEMATIZATION (체계화)

배경색	TRANSLUCENCY + COPPER
핵심 키워드	조직화, 해체와 분열, 기획, 체계화, 계통화, 분류, 구분, 이상, 변화, 직관력, 직감, 창조 에너지, 비상한 지혜, 예지력, 명료, 구조화, 강한 관계성

27. SACRIFICE (희생)

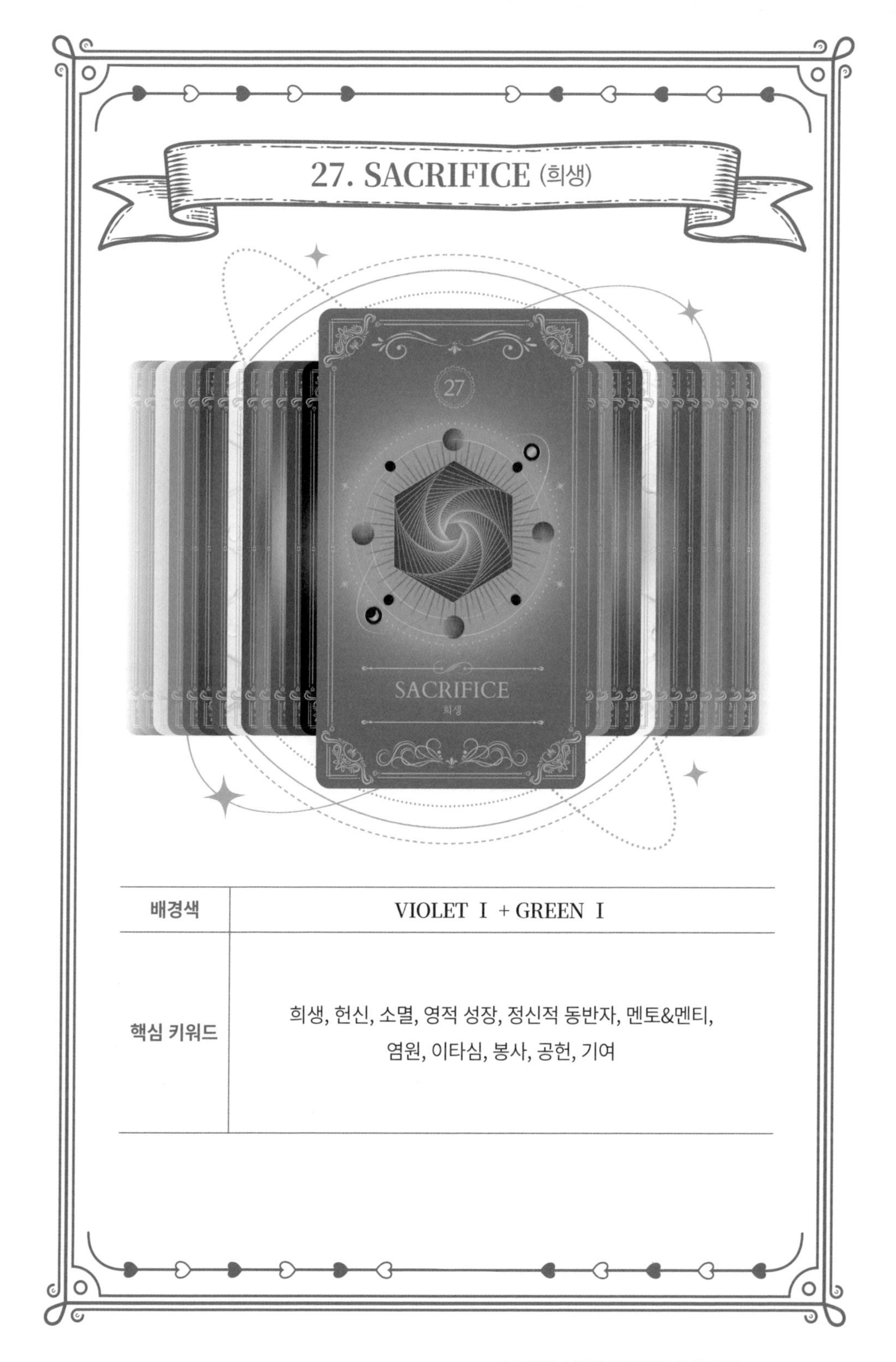

배경색	VIOLET Ⅰ + GREEN Ⅰ
핵심 키워드	희생, 헌신, 소멸, 영적 성장, 정신적 동반자, 멘토&멘티, 염원, 이타심, 봉사, 공헌, 기여

30. PERFECT ORDER (완벽한 질서)

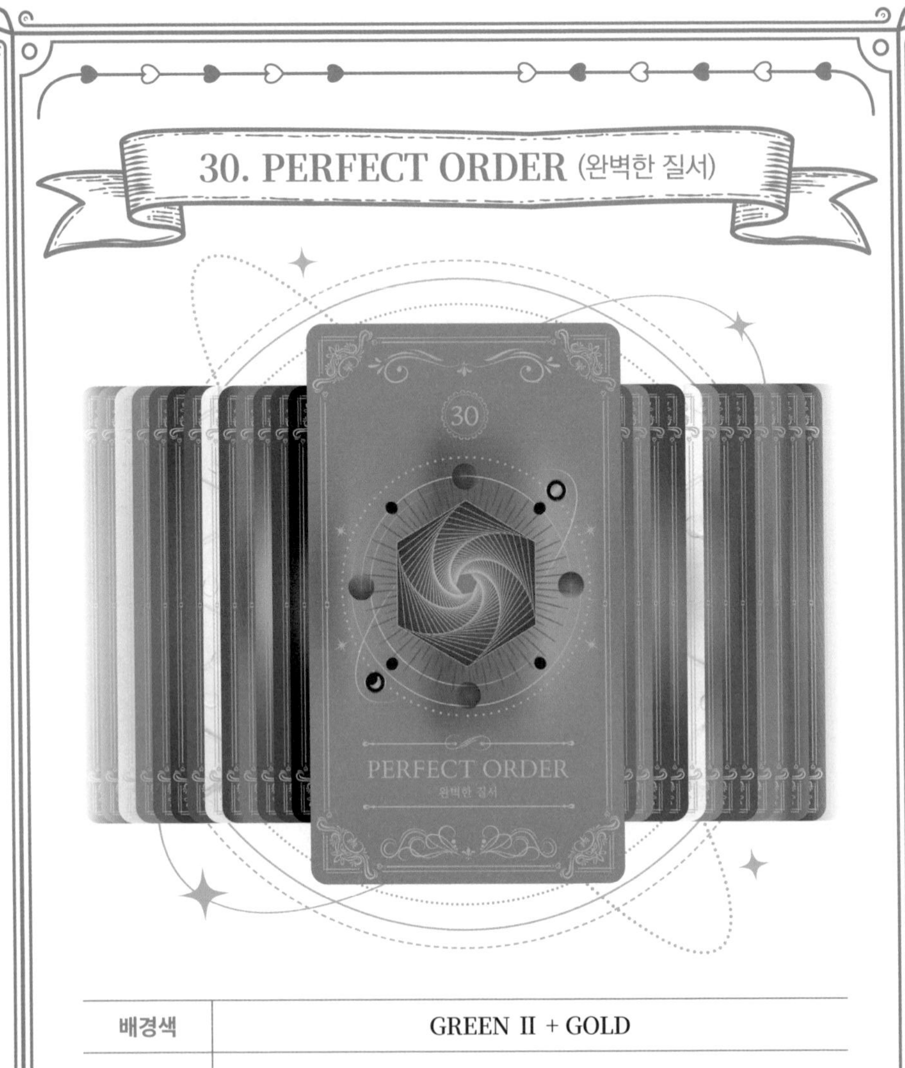

배경색	GREEN II + GOLD
핵심 키워드	진보, 희생, 체계 정립, 일사불란, 완벽한 질서, 공공성, 완전무결, 창조를 향한 완벽함

33. POWERFUL ENERGY (강력한 에너지)

배경색	RED Ⅲ + YELLOW Ⅲ
핵심 키워드	강렬한 에너지, 사랑, 전수, 전달, 인도, 집착, 의사소통, 중요한 전달, 표현, 정직한 소통, 카리스마, 과도한 추진력, 열정, 뜨거운 욕망

40. WAITING (기다림)

배경색	INDIGO Ⅰ + SKY
핵심 키워드	기다림, 수련, 연마, 시험, 대기, 단련, 정체, 고요함, 고심, 인내, 큰 안정을 위한 학수고대

44. REALM (영역)

배경색	TRANSLUCENCY+ OCHER
핵심 키워드	공간, 범위, 영역, 범주, 분야, 소유, 환경, 순환, 생태적 구성, 정황, 무대, 프레임

50. DELIGHT (즐거움)

배경색	ORANGE Ⅰ + RAINBOW
핵심 키워드	기쁨, 행복, 즐거움, 새로운 시작, 완전한 성취, 반가움, 유쾌함, 환희, 자아성취, 환상

60. COMPLETION OF THE CYCLE (주기의 완성)

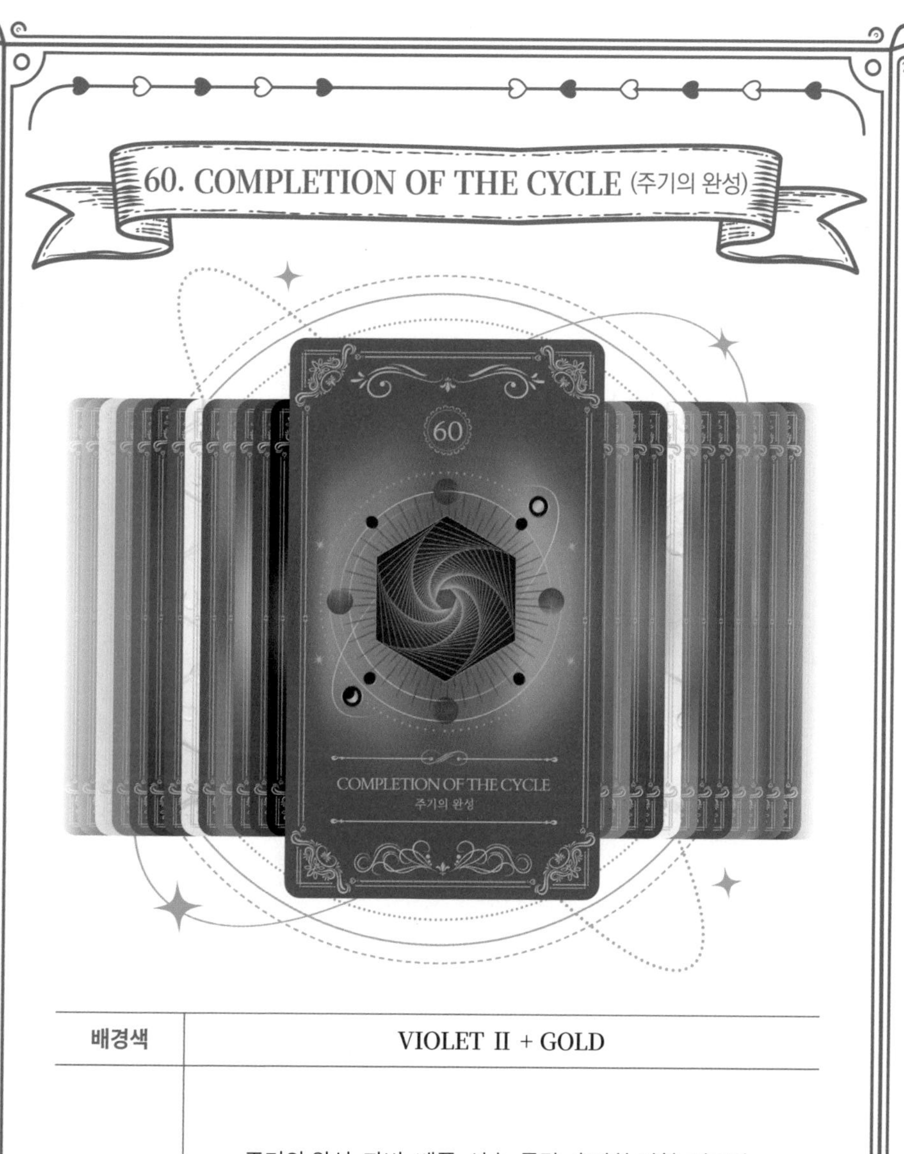

배경색	VIOLET II + GOLD
핵심 키워드	주기의 완성, 자비, 베풂, 성숙, 통달, 충만한 경험, 전문가, 사이클, 해탈, 원숙, 깨달음, 목표 달성

70. INSIGHT (통찰력)

배경색	VIOLET II + INDIGO II
핵심 키워드	통찰력, 간파, 영적 완전함, 시야, 이해, 직시, 투시, 인지, 분석, 알아차림

77. COMPENSATION (보상)

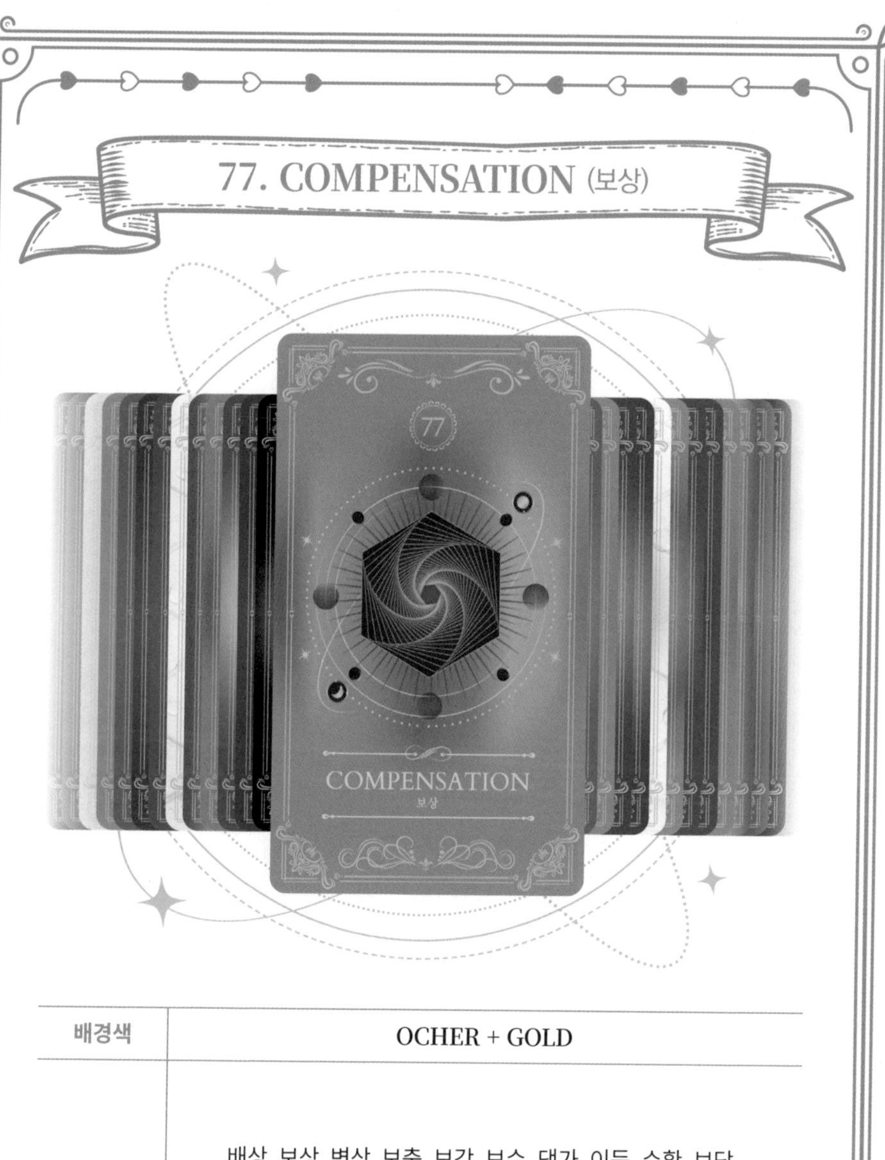

배경색	OCHER + GOLD
핵심 키워드	배상, 보상, 변상, 보충, 보강, 보수, 댓가, 이득, 수확, 보답, 보장, 확보, 기회, 진정한 자유 추구

80. IMMORTALITY (불멸)

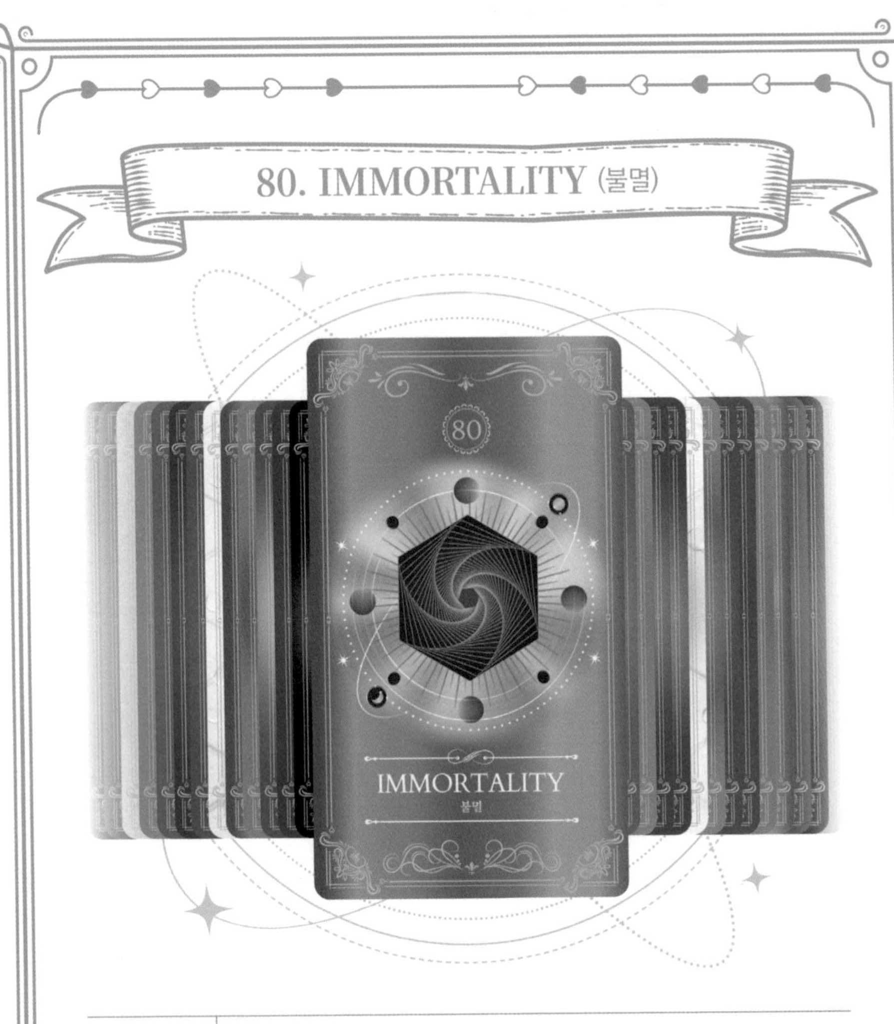

배경색	GOLD + SILVER
핵심 키워드	불사, 불멸, 불후, 이상, 영원불변, 진리, 일관성, 절대자, 영생, 진실, 영원성

90. IMAGINATION (상상력)

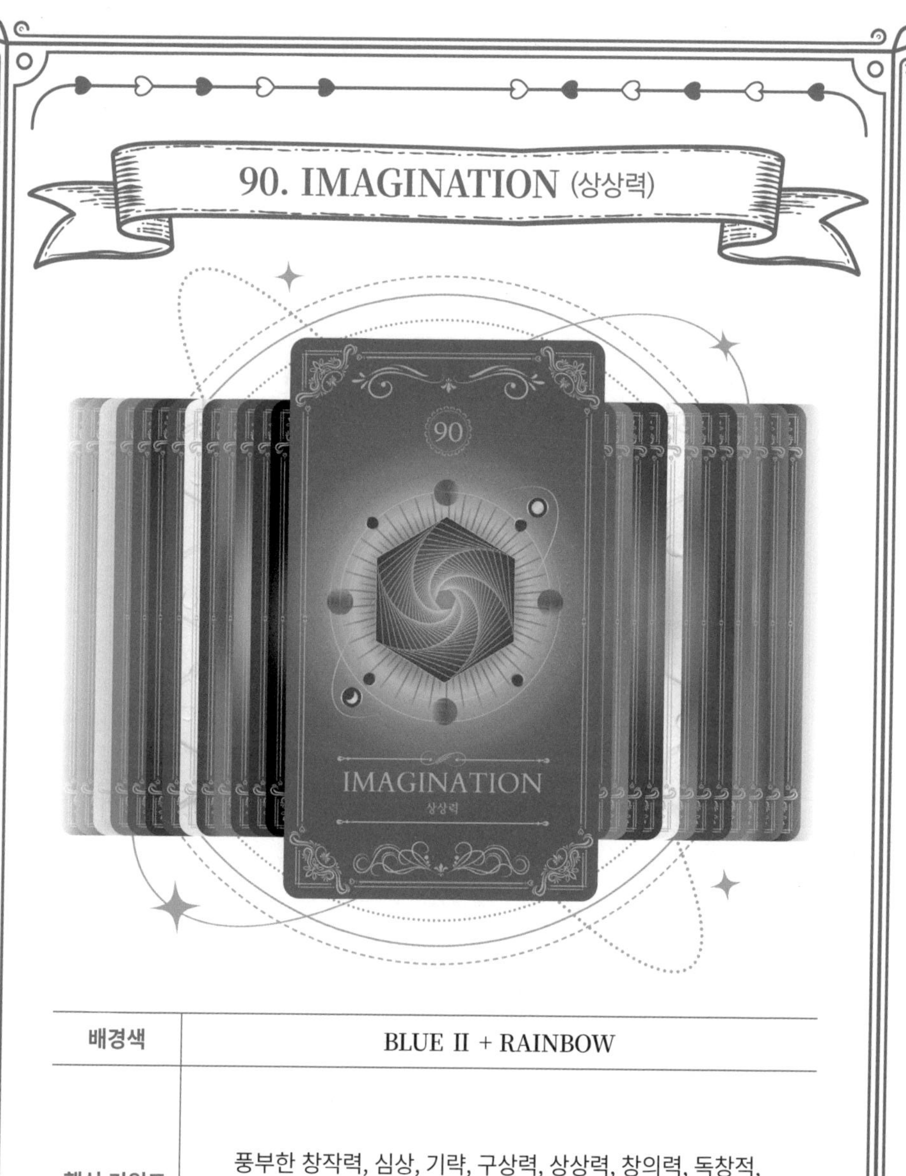

배경색	BLUE II + RAINBOW
핵심 키워드	풍부한 창작력, 심상, 기략, 구상력, 상상력, 창의력, 독창적, 판타지, 공상, 최고의 아이디어

99. GENEROSITY (관대함)

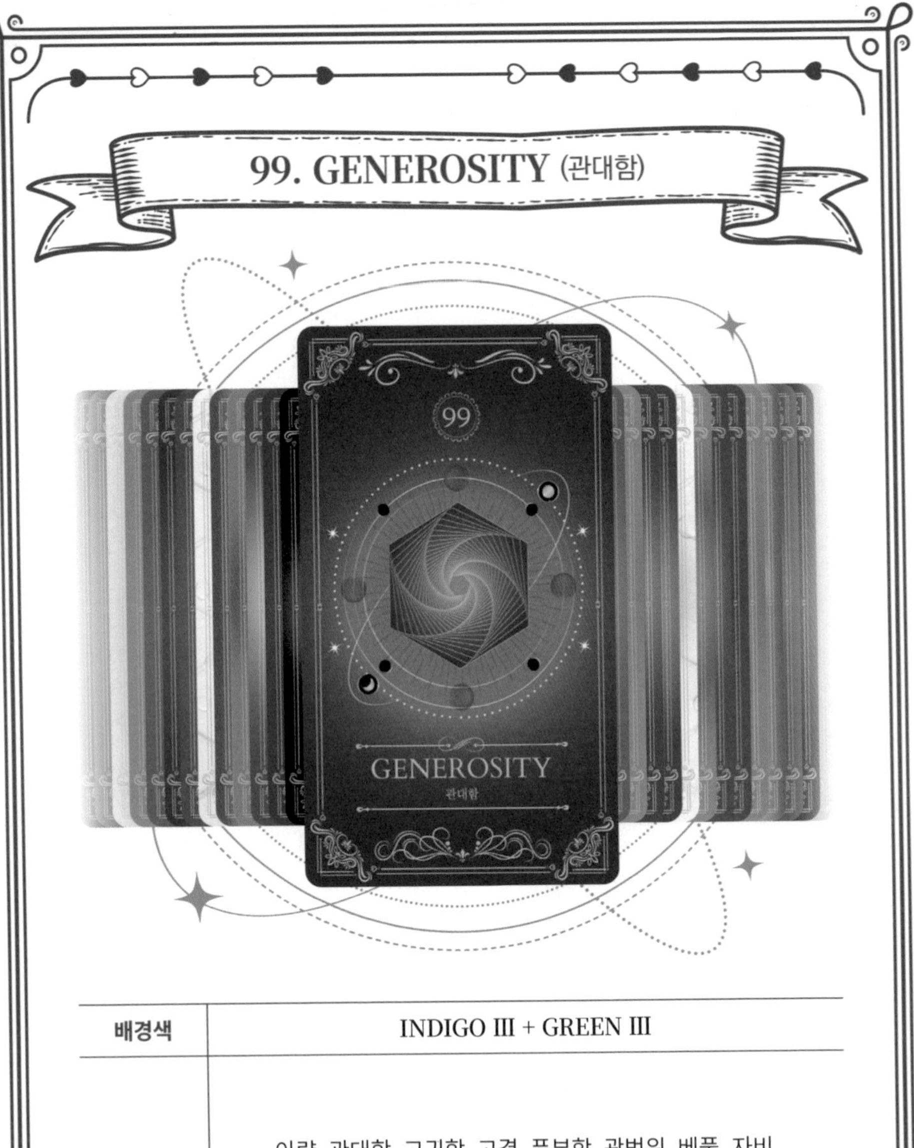

배경색	INDIGO III + GREEN III
핵심 키워드	아량, 관대함, 고귀함, 고결, 풍부함, 광범위, 베풂, 자비, 친절함, 격려, 연민, 희생, 봉사, 너그러움, 관용, 포용, 용서

100. FLAWLESS PERFECTION (완벽함)

배경색	SKY + OCHER + EMERALD
핵심 키워드	완벽함, 극치, 성숙, 완성, 오점 없는, 숙달, 탁월, 이상, 더할 나위 없는, 완전주의, 무결, 빈틈없는, 최고의 경지, 달관

COLOR NUMEROLOGY TAROT CARDS

컬러수비타로카드의 보조카드 활용 방법

컬러수비타로카드는 주카드와 보조카드 모두 활용이 가능하다.

『IV. 컬러수비타로카드 전문가 실전 상담 사례』 에서는 컬러수비타로카드의 주카드 활용 방법을 탑재했다. 여기에서는 컬러수비타로카드의 보조카드 활용 방법을 살펴보자.

제가 무리한 사업 확장으로 경제적 어려움에 봉착했습니다. 앞으로의 상황이 어떻게 될까요?(과거-현재-미래)

상담

결과의 상황에 「0. THE FOOL(바보)」이 배열되었다.

이때, 수비학의 여러 의미 중 0이라는 수는 크게 두 가지로 방향을 잡을 수 있다.

첫 번째, 여기에서의 0은 없다는 'Zero' 또는 비어 있다는 'Empty'와 성과가 없음의 '무(無)' 또는 '아무것도 소유하지 않은 상태에서 새로운 출발', '성과나 결실이 없는 상태'를 의미할 수 있다.

두 번째, 여기에서의 0은 현재 상태에서의 자유로움, 즉 '경제적 상태에서의 자유로움', '벗어남'을 의미할 수 있다.

실력과 노하우를 겸비한 타로 상담 전문가가 아니고서는 이 두 가지 중 어느 하나를 선택하기란 쉽지 않다. 자칫 능력도 되지 않는 타로 상담가가 직관을 발휘한답시고, 2개 중에서 어느 한 개를 선택하여 내담자에게 상담을 한다면, 자칫 내담자의 인생에 큰 피해를 줄 수 있을 것이다.

이럴 경우, 타로 상담가가 사용할 수 있는 가장 좋은 방법은 "타로카드에게 물어봐"이다.

바로 타로카드로 시작된 상담은 타로카드로 완벽하게 끝낼 수 있다. 단, 이 방법을 사용하지 못하는 이유 중 가장 큰 이유는, 타로 상담가가 여러 종류의 타로카드를 전문적으로 사용할 수 없는 타로 전문 실력 부족과 많은 내담자를 상담해 보지 못해서 오는 경험 부족 및 경솔함 등이다.

컬러수비타로카드로 사용할 수 있는 타로 전문 상담 방법이 상당히 많이 있으나, 초보자들도 쉽게 익히고 따라 할 수 있는 방법인 결과 카드의 보조 카드 배열에 따른 몇 가지 케이스를 소개한다.

여기서 주의할 점은 결과 카드의 보조 카드 배열을 아무 때나 사용할 수 있는 것은 아니라는 점이다.

[CASE 1-1]

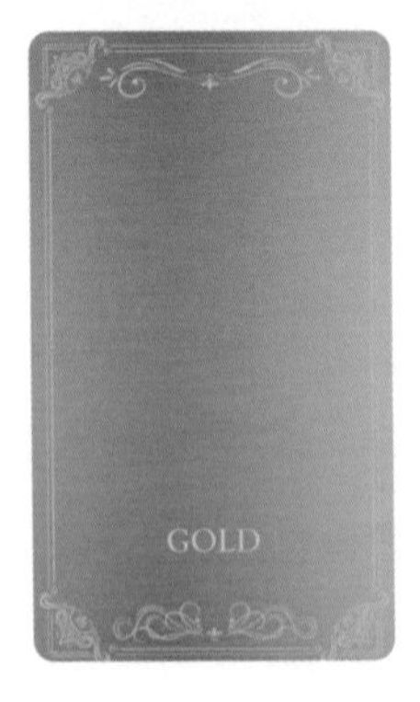

[CASE 1-1]의 경우 결과 카드 「0. THE FOOL(바보)」의 보조 카드로 컬러타로 「GOLD」가 나왔다. 「GOLD」 카드의 컬러만 보아도 느껴지듯

「GOLD」 카드는 '영원성, 완성, 성공, 축복, 태양, 가족(아버지), 풍요, 부, 권위, 영혼, 지혜, 사랑, 생명력, 영광, 충만, 고귀함, 자비, 불변, 지배, 자신감, 절정기'라는 의미를 가지고 있다.

그렇다면 이때, 결과 카드 「0. THE FOOL(바보)」은 어떤 방향일까?

그렇다.

이 경우에는 위의 상담에서 구분한 0의 의미 중, 두 번째에 해당하는 현재 상태에서의 자유로움 즉, '경제적 상태에서의 자유로움', '벗어남'을 의미한다.

한마디로 미래의 경제적 상황이 과거, 현재의 어려움의 상황에서 벗어나 경제적 문제에서 자유롭게 됨을 의미한다.

[CASE 1-2]

[CASE 1-2]의 경우 결과 카드 「0. THE FOOL(바보)」의 보조 카드로 「WHITE III」이 나왔다. 「WHITE III」 카드의 컬러만 보아도 느껴지듯 「WHITE III」 카드는 '때 묻음(오염), 부자연, 냉담, 건강 훼손, 위엄, 무한, 상처'라는 의미를 가지고 있다.

그렇다면 이때, 결과 카드 「0. THE FOOL(바보)」은 어떤 방향일까?
그렇다.
이 경우에는 위의 상담에서 구분한 0의 의미 중, 첫 번째에 해당하는

'Zero' 또는 비어 있다는 'Empty'와 성과가 없음의 '0' 또는 '아무것도 소유하지 않은 상태에서 새로운 출발', '성과나 결실이 없는 상태'를 의미한다.

한마디로, 미래의 경제적 상황이 과거, 현재의 어려움의 상황에서 벗어나기 어려워 경제적 문제에서 여전히 힘겨운 상황임을 알 수 있다.

[CASE 2-1]

[CASE 2-1]의 경우 결과 카드 「0. THE FOOL(바보)」의 보조 카드로 수비타로 「10. PERFECTION(완전함)」 카드가 나왔다. 「10. PERFECTION(완전함)」 카드는 '완전함, 완벽함, 작은 사이클의 완성을 통한 발전된 시작, 작은 단계를 구축한 큰 발전(변화)의 시작, 한 사이클의 완성을 통한 한 단계 업그레이드된 새로운 시작, 터닝포인트, 순환, 행운, 운명적인 만남, 전환, (배움을 통한)이동'이라는 의미를 가지고 있다.

그렇다면 이때, 결과 카드 「0. THE FOOL(바보)」은 어떤 방향일까?

그렇다.

이 경우에는 위의 상담에서 구분한 0의 의미 중, [CASE 1-1]과 마찬가지로 두 번째에 해당하는 '현재 상태에서의 자유로움' 즉, '경제적 상태에서의 자유로움', '벗어남'을 의미한다.

물론 [CASE 1-1]의 GOLD 카드와 [CASE 2-1]의 「10. PERFECTION(완전함)」 카드는 세부적인 의미를 포함하는 전문 상담에서는 확연한 차이가 있으나, 큰 흐름의 방향은 "미래의 경제적 상황이 과거, 현재의 어려움의 상황에서 벗어나 경제적 문제에서 자유롭게 됨"이라는 개선, 발전 등으로 일치한다고 볼 수 있다.

[CASE 2-2]

[CASE 2-2]의 경우, 결과 카드인 「0. THE FOOL(바보)」의 보조 카드로 수비타로 「18. INTERNAL CONFLICT(내적 갈등)」 카드가 나왔다. 「18. INTERNAL CONFLICT(내적 갈등)」 카드는 '완벽함을 추구하는 근심, 걱정, 갈등, 불안, 배신, 속임수, 두려움, 불명확한, 혼란스러운'이라는 의미를 가지고 있다.

그렇다면 이때, 결과 카드 「0. THE FOOL(바보)」은 어떤 방향일까?

그렇다.

이 경우에는 위의 상담에서 구분한 0의 의미 중, [CASE 1-2]와 마찬가지로 미래의 경제적 상황이 과거, 현재의 어려움의 상황에서 벗어나기 어려워 경제적 문제에서 여전히 힘겨운 상황임을 알 수 있다.

컬러수비타로카드 실전 상담에 사용되는 스프레드(배열법)는 일반 타로 상담에서 사용되는 스프레드를 모두 사용할 수 있다. 『컬러수비타로카드 전문 상담 노하우 - 일반 실전 상담 노하우』에서는 실전 상담에 많이 활용되는 중요 스프레드 중 실전 상담 사례에 소개된 스프레드를 소개하여 독자들의 이해를 돕고자 한다.

Ⅲ

컬러수비 타로카드 전문 상담 노하우

COLOR NUMEROLOGY TAROT CARDS

01

일반 실전 상담 노하우

1) 원 카드 스프레드

원 카드 스프레드는 한 장의 카드를 사용하여 상담하는 방법으로 대답이 Yes / No로 나올 수 있는 질문이거나 단순한 답변을 얻을 수 있는 경우, 결과만을 알고 싶은 경우 등에 사용한다. 원 카드 스프레드를 배우고 나면, 많은 사람은 타로카드 상담에 자신감을 갖게 되고 심지어는 거만해지기 시작하지만, 카드의 개수가 적당히 많으면 더욱 자세하고 명확한 리딩이 이루어짐을 알게 되면서 오히려 원 카드 스프레드 리딩을 어려워하기 시작한다. 원 카드 스프레드는 비록 한 장으로 상담하지만, 그

카드에는 여러 상징과 의미가 내포되어 있기 때문이다.

2) 쓰리 카드 스프레드

쓰리 카드 스프레드는 3장의 카드를 뽑아 리딩하는 방법으로, 시간의 흐름뿐만 아니라 여러 역할을 배정하여 상담에 활용할 수 있다.

❶ 과거 - 현재 - 미래(결과)

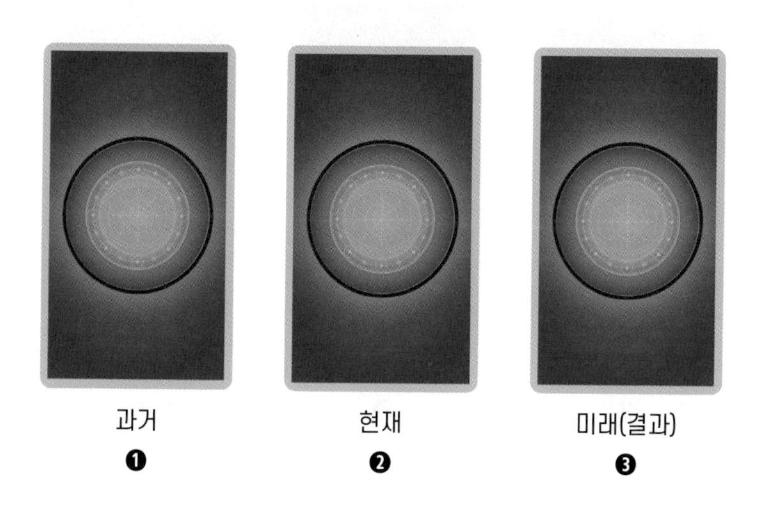

우리는 누구나 시간 속에서 인생을 살아가고 있다.

현재는 과거의 산물이고, 현재를 기초로 미래가 만들어지게 되는 것이다.

따라서, 쓰리 카드 스프레드는 이런 시간의 연속선이라고 생각하면 이해하기 쉬울 것이다.

대표적인 쓰리 카드 스프레드의 방법이 『과거 - 현재 - 미래(결과)』의 방법이다.

"과거에는 이랬고, 현재는 이래서, 미래에는 이렇게 될 가능성이 크다.", "현재 이런 상황은 과거의 이런 사항 때문이고, 현재에 변화가 없다면 이런 미래가 될 수 있다." 또는 "미래에 이렇게 되지 않기 위해서는 (과거에 이러이러한 것을 교훈 삼아) 현재에 이런 행동을 자제하고 이렇게 행동해야 할 것이다."와 같이 리딩하면 된다.

❷ 현재 - 진행 - 미래(결과)

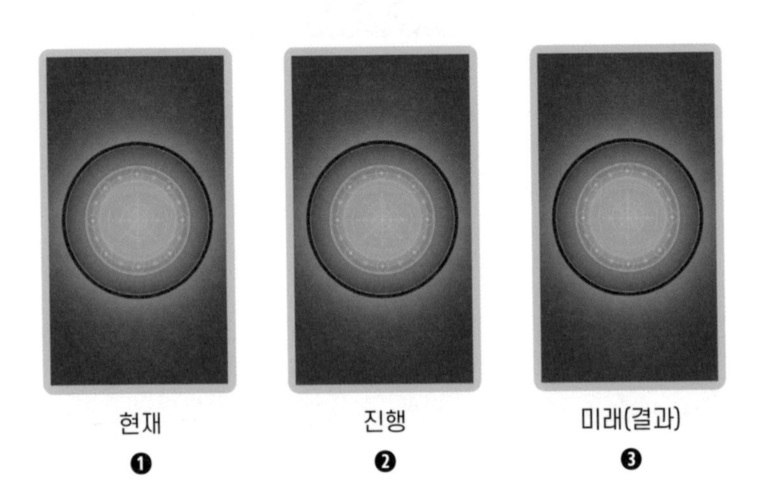

쓰리 카드 스프레드 중 과거라는 시간이 의미 없는 경우가 있다.

이런 경우에는 『현재 - 진행 - 미래(결과)』의 방법을 사용할 수 있다. 만일, 과거가 아무런 의미가 없는 이런 경우에 『과거 - 현재 - 미래(결과)』의 방법으로 상담을 진행하게 된다면 과거의 카드에 공백 카드의 의미와 같이 질문과 전혀 상관없는, 의미 없는 카드가 배치될 수 있다.

❸ 나 - 결과 - 너

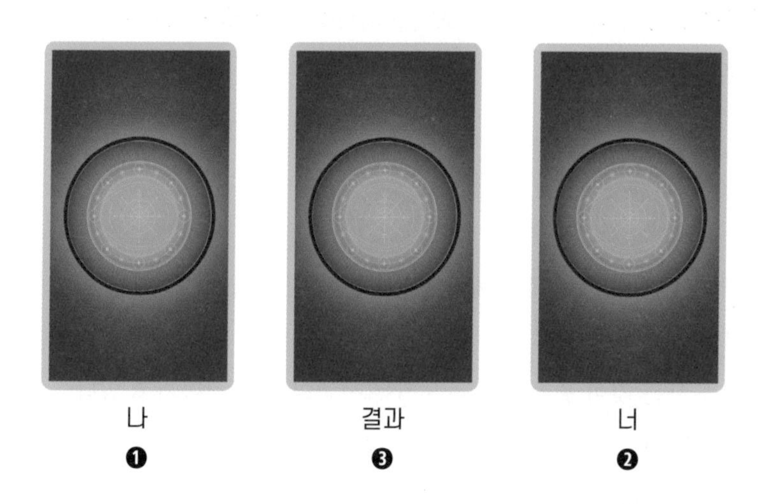

쓰리 카드 스프레드로 관계를 파악하는 방법이다.

물론, 두 장의 카드로도 진행할 수 있으나 카발라 신비주의의 영향을 받아 결과 카드를 가운데 위치시키는 세 장의 카드로 진행하는 것이 더욱 정확한 리딩이 된다.

❹ 리딩 - 조언 - 결과

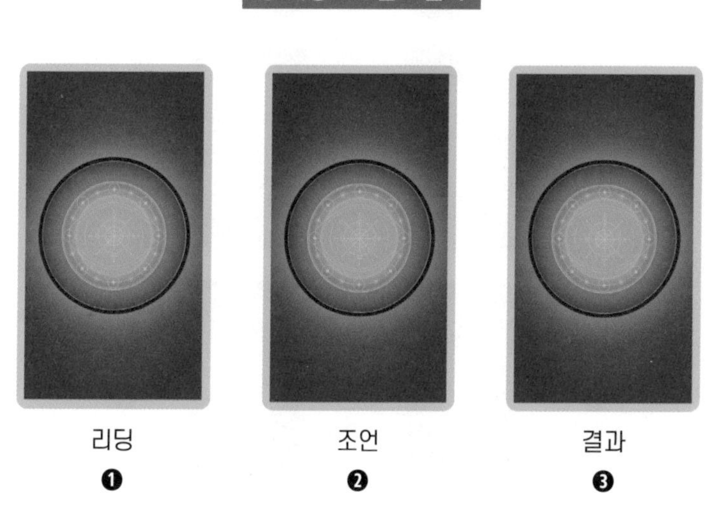

최근 들어 많이 사용하는 스프레드이다. 현재의 상황이 ❶ 리딩으로, 현재의 상황에 맞는 ❷ 조언, 조언을 따랐을 때의 ❸ 결과로 각각의 역할이 주어진다.

3) 갈래길 / 선택 스프레드

"내가 현재의 직장에서 계속 근무하는 것이 좋을지?", "다른 직장으로 옮기는 것이 좋을지?" 또는 "내가 아파트를 사는 것이 좋을지?", "오피스텔을 사는 것이 좋을지?" 등 우리는 선택의 삶을 살아가고 있다.

바로 갈래길 / 선택 스프레드는 이렇게 어떤 선택의 상황에 서 있는 내담자들에게 좀 더 나은 선택과 조언을 할 수 있는 용도로 사용된다.

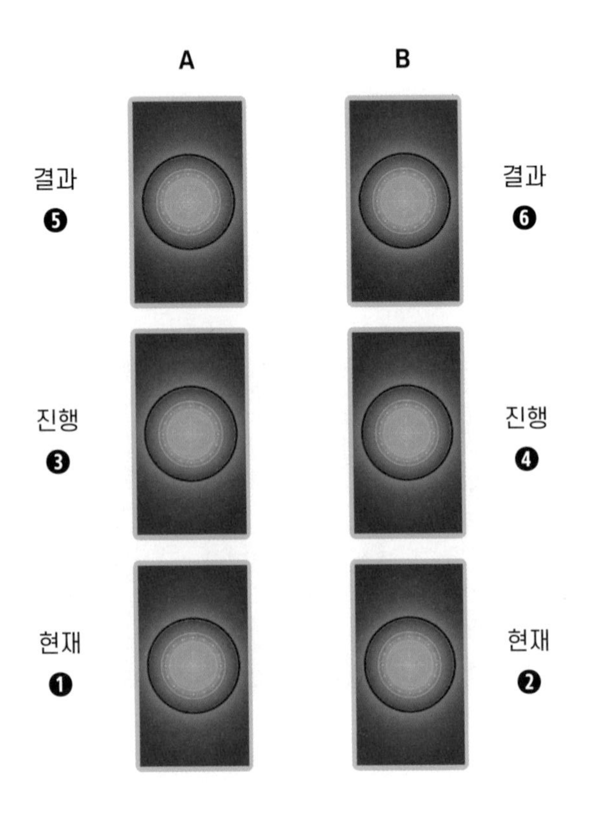

4) 켈틱크로스 스프레드

켈틱크로스 스프레드[7]는 아서 에드워드 웨이트(Arthur Edward Waite, 1857~1942)가 그의 책 『타로 그림의 열쇠(1910)』에 소개하면서 전 세계적인 유명세를 떨치게 되었다. 켈틱크로스의 배열에는 내담자(질문자)의 희망, 두려움, 시간의 흐름 등의 포괄적인 내용이 내재되어 있다는 큰 특징이 있기 때문에 전 세계적으로 현재까지 많이 사용하고 있다.

우리가 일반적으로 알고 있는 10장의 카드를 선택하여 진행하는 켈틱크로스의 방법은 웨이트가 최초로 켈틱크로스를 소개할 당시의 스프레드 방법이 아닌 변형된 켈틱크로스 배열 방법이다.

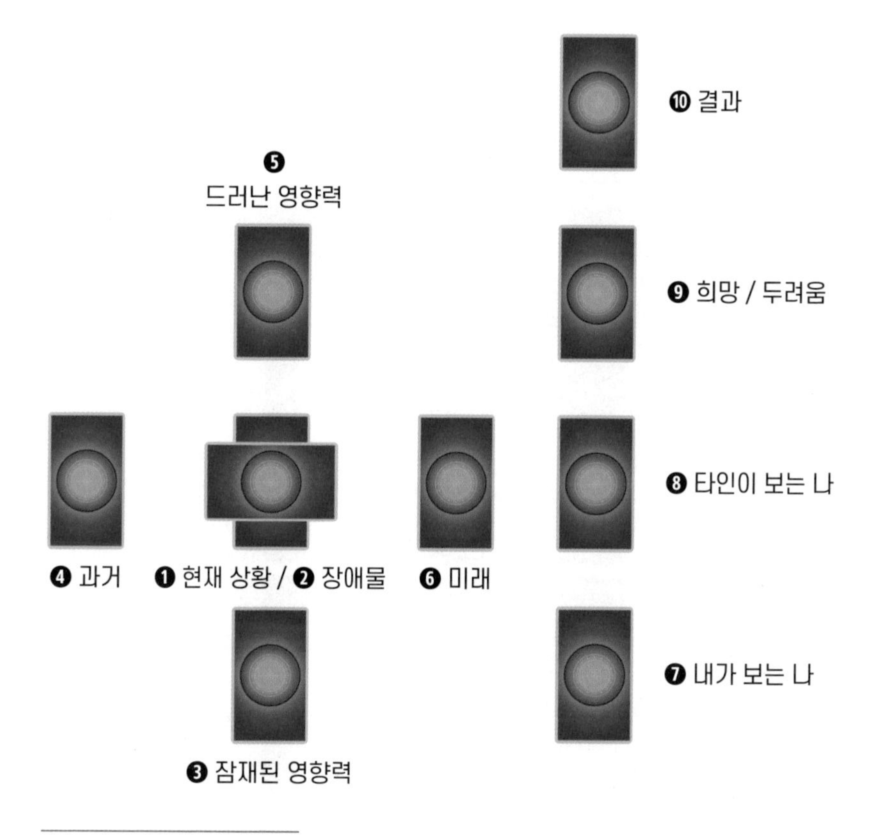

7) '정통 켈틱크로스'라고 칭하는 최초의 켈틱크로스는 11장이 배열된다.

COLOR NUMEROLOGY TAROT CARDS

전문 실전 상담 노하우

1) 컬러타로카드 전문 상담 노하우

[노하우 1]

· **통합 사용 - 컬러타로카드 36장 전체 사용**(가능하다면 36장×2=72장 사용 권장)

컬러타로카드 36장 사용

[노하우 2]

· 분리 사용 - 컬러타로카드 RED, ORANGE, YELLOW, GREEN, BLUE, INDIGO, VIOLET, 21장 주 상담 사용 & 나머지 15장 보조 상담 사용

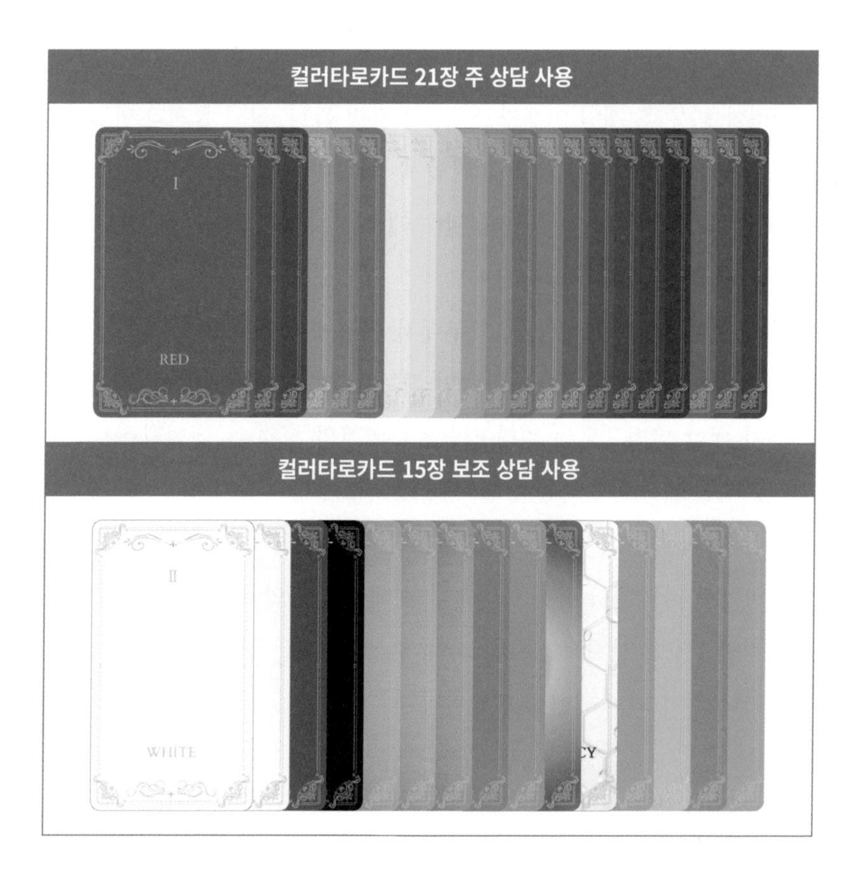

2) 수비타로카드 전문 상담 노하우

수비학으로 전문 상담을 진행하는 방법은 여러 가지가 있다.

대표적인 방법으로는 피타고라스 수비학, 칼데아 수비학, 게마트리아 수비학 상담을 들 수 있으며 특히, 이 중 피타고라스 수비학이 가장 널리 알려져 있다.

수비학을 통해, 개인 인생의 흐름, 성격 및 특성, 삶의 목적과 방향, 내적인 갈망, 진정한 자아 등을 파악할 수 있으며, 인생의 여러 주기적 흐름, 해(年)의 순환적 흐름, 달(月), 날(日)에 따른 분석 등을 통해 전문적인 수비 상담을 진행할 수 있다.

예를 들어, 개인의 이미지, 외부에서 어떻게 바라보고 인식하는지를 알기 위해서는 '성격수'를 파악하면 정보를 알 수 있다. 이 성격수를 파악하기 위한 방법으로는 피타고라스 수비학의 성격수, 엔젤리스에리언의 성격수(카드)를 파악하는 방법, MBTI 타로카드 응용 방법 등이 있다.

수비학의 파악에서 숫자 하나하나의 개별적인 의미 파악이 상당히 중요하지만 1~9의 전체적인 흐름 파악에 소홀해서는 안 된다는 것이 타로 상담 전문가가 되기 위한 유의점이다.

1에서 9까지의 전체적인 흐름을 파악하면 1에 1이 더해져서 2가, 2에 1이 더해져서 3이... 이렇게 수의 확장이 이루어진다. 따라서, 1, 2, 3은 1에서 9까지 전체 수의 '초기수'로 인생의 초기, 상황의 초기, 관계의 초기로 파악할 수 있고 4, 5, 6은 '과정수'로 인생의 과정, 상황의 과정, 관계의 과정으로 파악할 수 있다. 또, 7, 8, 9는 '후기수'로 인생의 후기, 상황의 후기, 관계의 후기로 파악할 수 있다. 뿐만 아니라 1, 2, 3 자체에서

1은 초기, 2는 중기, 3은 후기로 파악할 수도 있다. 이런 전체적인 흐름의 의미 파악은 1~9의 각각의 수비학적 의미 파악과 동시에 이루어져야 한다.

1의 본연의 나로부터 출발하여 2의 서로 간의 협력이 이루어지고 3의 확장이 이루어진다. 4의 사각형에서의 안정을 찾았다면 5에서 변화로 인한 불안정의 상황이 이루어지고, 6에서의 이상적 입체가 만들어진다. 7에서의 고독과 각성이 이루어져서 8에서의 재구조화를 통해 9의 완성을 이루어 내게 된다.

이상을 홀수와 짝수로 구분하여 정리하면 다음과 같다.

홀수 : 나(자아) - 확장 – 불안정 – 각성 - 완성
짝수 : 협력 – 안정 – 이상적 – 재구조화

전체적인 흐름을 통해 짝수는 계속적인 안정을 유지, 성장해 나감을 파악할 수 있으며, 홀수는 자아인 나로부터 출발하여 과정상 진보, 나아감을 통한 불안정을 나타내지만 마지막 9에서 완성을 이루어 냄을 알 수 있다.

수비학에 대한 전문 내용은 지면의 한계상 『타로 수비학』 책과 『타로 수비학 전문가 과정』에서 자세히 안내하도록 한다.

그렇다면, 타로카드에 수비학을 접목하는 방법에는 어떤 것이 있을까?

가장 손쉽게, 거기에 전문적인 노하우를 발휘할 수 있는 방법은 바로 컬러수비타로카드 중 36장의 수비타로카드를 사용하는 것이다.

36장의 수비타로카드에는 수비학의 의미에 입각해서 0~21까지의 22장의 의미와 14장의 특화된 의미를 담고 있다.

또한, 배경색에는 컬러타로카드 36장의 색이 모두 포함되어 있고, 메인 중심 도형은 나선형 구조 + 프랙탈 기하 + 수비학 6의 이상주의 + 우주 기하학 상징 등의 원리가 포괄적으로 접목된 오컬트 신비주의 의미를 담고 있다.

[노하우 1]

· 수비타로카드 1번~9번, 9장 사용

수비타로카드 1번~9번까지, 9장에는 수비학의 포괄적인 의미를 모두 담고 있다.

바로 포괄적 메이저카드 역할을 수행하는 1번~9번까지, 9장을 사용하여 포괄적인 상담을 진행할 수 있다.

수비타로카드 1번~9번, 9장 사용

[노하우 2]

· 수비타로카드 0번~21번, 22장 사용

수비타로카드 0번~21번까지, 22장에는 우주의 세상만사를 모두 담고 있다.

바로 세부적 메이지 카드 역할을 수행하는 0번~21번까지, 22장을 사용하여 세부적인 상담을 진행할 수 있다.

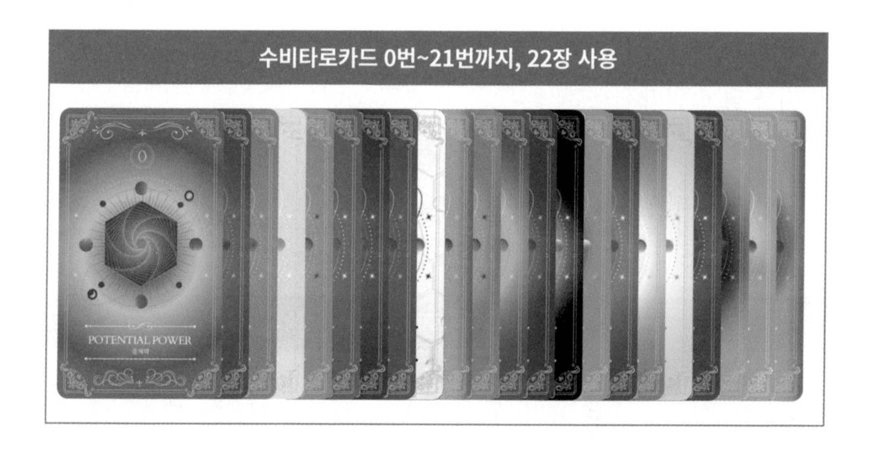

[노하우 3]

· 수비타로카드 전체, 36장 사용 / 세부적인 2가지 노하우

(분리 노하우 2가지 중에는 분리 노하우 1을 추천한다.)

[통합 노하우]

· 수비타로카드 36장 전체 통합 사용

수비타로카드 36장에는 세상만사의 특화된 의미와 오컬트 신비주의 의미를 담고 있다.

따라서, 이 36장의 수비타로카드를 모두 사용하여 단 한 번의 스프레드로 상담을 진행할 수 있다.

수비타로카드 36장 사용

[분리 노하우 1]

· **메이저 9장, 나머지 마이너 27장 분리 사용**

수비타로카드 1번~9번까지, 9장에는 수비학의 포괄적인 의미를 모두 담고 있다.

따라서, 이 9장을 사용하여 포괄적인 의미를 파악하고, 이후 나머지 카드 27장을 사용하여 세부적인 의미를 파악한다. 이 방법은 9라는 수비학적 의미가 담겨 있는 추천 노하우이다.

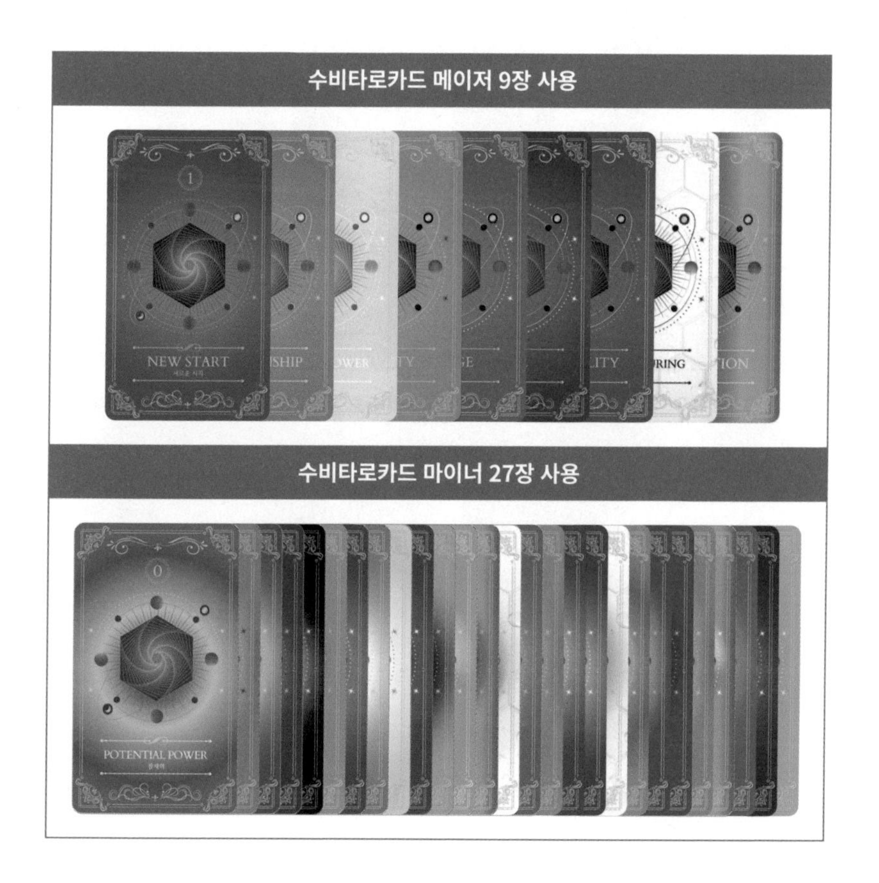

[분리 노하우 2]

· 메이저 22장, 나머지 마이너 14장 분리 사용

수비타로카드 0번~21번까지, 22장에는 우주의 세상만사를 모두 담고 있다.

따라서, 이 22장을 사용하여 포괄적인 의미를 파악하고, 이후 나머지 카드 14장을 사용하여 세부적인 의미를 파악한다.

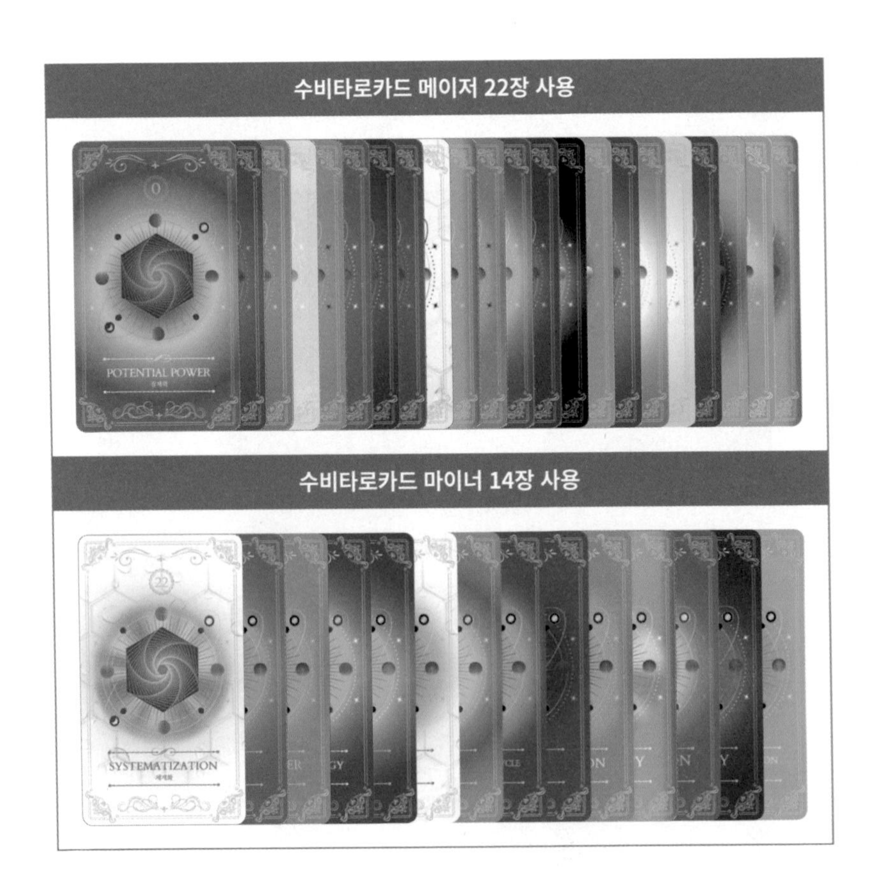

★★★ TIP) 전문가가 추천하는 전문 특화 상담 노하우

컬러수비타로카드 72장 중 컬러타로카드 36장, 수비타로카드 36장을 각 2 세트씩으로 분리 사용하면 전문 컬러타로카드 상담, 전문 수비타로카드 상담을 진행할 수 있다.

즉, 컬러타로카드 72장(36장×2set), 수비타로카드 72장(36장×2set)을 사용하면 타로 상담의 목적에 맞게 컬러타로카드, 수비타로카드를 특화하여 사용할 수 있는 것이다.

Ⅳ

컬러수비 타로카드 전문가 실전 상담 사례

01 원 카드 스프레드

COLOR NUMEROLOGY TAROT CARDS

사례 1

지금 저는 중학교 교사입니다. 학교에서 상담할 일이 많은데, 최근에 가끔 타로를 활용해서 상담을 진행하고 있습니다. 제가 앞으로 타로 상담 관련한 공부를 지속적으로 하는 게 좋을까요? (48세 여성)

상담: 정보나 트레이너

상담

선생님은 중학교 교사로서 학생들과 많은 상담을 해 오셨어요. 그런데, 요즘 학생들과의 상담이 참 어렵게 느껴지셨군요. 그런 상황에서 타로카드를 활용해서 상담을 해 보니, 학생들의 마음을 열고 상담을 하는 데 도움이 된다고 느끼셨군요. 상담을 진행하면서 좀 더 많은 공부가 필요하다고 생각하셨고 공부를 더 하는 게 좋을지 궁금하신 거군요. 뽑으신 노란색은 컬러타로카드 중 메이저 카드입니다. 메이저 카드가 나왔다는 건, 이 질문이 선생님께 중요한 질문이라는 뜻입니다. 뽑으신 「YELLOW Ⅱ」는 지성적인 면에서는 지식이나 지적 능력을 나타내는 색이고, 심리적인 면에서는 자신감과 낙천적인 태도를 갖게 하는 색입니다. 또 「YELLOW Ⅱ」는 새로운 아이디어를 얻도록 도움을 주는 색이며, 태양의 색깔로써 부와 풍요를 상징하는 색이기도 합니다. 선생님이 궁금해하시는 타로 상담 관련한 공부를 지속적으로 하시는 게 좋을 것 같습니다.

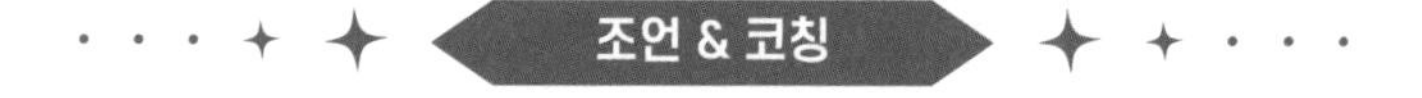

선생님은 중학교 교사로 20년 이상 근무를 하셨군요. 요즘 학교 현장에서 학생들의 생활지도가 참 어려우시죠? 마음의 문을 열지 않는 학생, 사춘기라서 무조건 반항하는 학생, 여러 가지 경우도 많고, 힘든 상황도 참 다양하고 많을 것입니다. 선생님께서 타로를 활용한 상담으로 효과를 보신 것 같아요. 상담을 위한 공부가 참 여러 가지 있어요. 그중 하나가 타로 상담이라고 생각합니다. 지속적으로 공부해 나가신다면 상담을 위한 또 하나의 좋은 무기를 장착하실 수 있을 거라고 생각합니다.

02 쓰리 카드 스프레드

사례 2

학교생활에 흥미가 없고 친구들과도 어울리고 싶지 않아요. 하고 싶은 것도 없고 학교에서 대부분의 시간을 엎드려 자요. 그냥 모든 것이 무의미한 것 같아요. 제가 어떻게 해야 학교생활에 적응할 수 있을까요? (10대 청소년)

상담: 장혜선 트레이너

리딩

조언

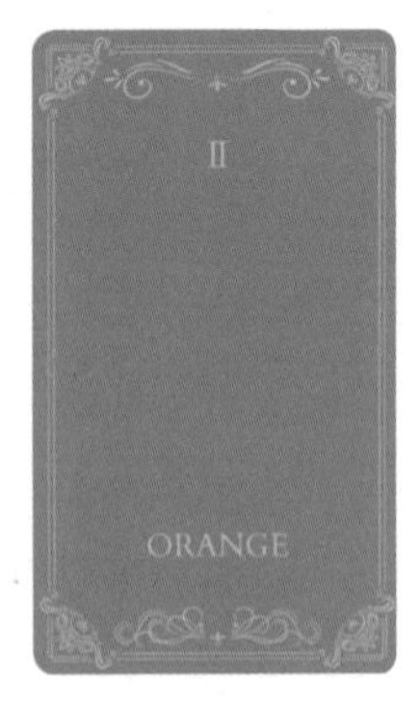

결과

상담

내담자는 스스로 상담을 신청한 것이 아니라 담임 교사와 학부모의 요구에 의해 상담을 받게 되었습니다. 그래서 상담을 불신하는 태도와 표정이 보였습니다. 우선 내담자의 마음을 열기 위해서 컬러타로카드의 색이 보이도록 내담자 앞에 펼치고 그 색깔을 살펴보라고 했습니다. 사람을 색깔로 비유할 수 있는데, 부모님을 떠올리면서 부모님에 해당하는 카드를 뽑으라고 하자 내담자는 아버지는 그린, 어머니는 오렌지를 선택했습니다. 아버지는 내담자의 이야기도 잘 들어주고 무엇보다 가족을 사랑하며 다른 사람과 갈등하기보다는 양보하며 평화를 유지하는 것을 우선시하는 분일 것이라고 해석하자 내담자는 이 의견에 동의했습니다. 어머니는 다른 사람과의 관계를 중요시하여 주변에 친구들도 많고 모임에서 분위기 메이커이며 외향적이고 유쾌한 분일 것 같다고 했습니다. 내담자는 어머니가 항상 모임이나 약속이 있어서 바쁘며 집에만 있는 내담자를 이해하지 못하고 본인을 보면 답답해한다고 했습니다. 이렇게 내담자가 상호작용을 하며 상담에 관심을 보이자 저는 더 깊이 있는 상담을 위해 쓰리 카드 배열법을 사용하자고 제안했고, 내담자는 동의했습니다.

내담자의 현재 상황이 「GRAY」 카드로 나왔는데 이는 우울함입니다. 앞날이 불확실하며 불안하게 느껴지며 모든 것이 무관심한 것은 우울하기 때문입니다. 자신에 대해 나름대로 심사숙고해 보니 내세우거나 자부심을 느낄 만한 점이 없다고 비관적으로 생각하고 있어요.

두 번째 「PINK」 카드가 나온 것으로 보아 내담자는 본인은 모르지만, 다른 사람은 느낄 수 있는 매력이 있어요. 다른 사람에게 친절하고 상냥한 편입니다. 세 번째 「ORANGE Ⅱ」 카드는 도전의식과 자신감, 활기입니다. 본인의 장점에 자신감을 가지고 생활한다면 친구 관계도 원만해지고, 학교생활에도 활기가 넘칠 거예요.

조언 & 코칭

내담자는 본인에 대해 굉장히 비관적으로 생각하고 있어요. 혹시 본인의 어떤 점이 제일 마음에 들지 않나요? (내담자는 뚱뚱한 것이라고 대답했다.) 혹시 내담자가 짝사랑하는 사람이 있나요? (내담자는 망설이더니 고개를 끄덕거렸다.) 사람에게는 다양한 매력이 있어요. 그건 내담자도 마찬가지고요. 내담자는 과거에 상냥하고 친절하고 타인의 감정에 공감하는 말을 잘했어요. 외모가 그 사람의 전부가 아니에요. 좀 더 자신감의 가지고 자신의 장점에 대해 생각해 봐요. 그 좋아하는 사람에 대해 벌써부터 비관적으로 생각하지 말고, 상냥하고 친절하게 대하며 어려운 일이 있을 때 슬며시 도와주세요. 내담자의 장점을 잘 몰랐던 친구들도 내담자의 친절한 말과 행동에 어느덧 감사와 매력을 느끼게 될 겁니다. 그러면 내담자도 자신감을 회복하고 앞으로 활기 넘치고 즐거운 학교생활을 하게 될 거예요.

사례 3

> 공부에 취미가 없고 수업에 들어가기 싫어요. 부모님과 담임선생님은 학교 수업에 참여하지 않는다고 뭐라고 하세요. 제가 왜 이럴까요? (중2 여학생)
>
> 상담: 소난영 트레이너

내담자는 학교 수업에 흥미가 없고 참여하기 싫다며 등교를 거부하는 상태입니다. 학교에 나오게 된다면 'Wee 클래스'에 있는 조건으로 학교에 등교하게 되었으나, 한 달이 지나도록 수업에 참여하는 것을 힘들어하는 상황입니다.

상담

내담자님은 새로운 환경으로 나아가는 걸 힘들어하는군요. 학기 초, 새로운 반에 배정받아 아는 사람이 없어 낯설고 거부감이 있어 보입니다. 모르는 사람들 사이에서 수업을 듣는 것에 대한 두려움일 수도 있고, 낯선 급우들 틈에서 지내야 한다는 것이 스트레스일 수도 있습니다.

「WHITE」 카드는 순수함, 고독, 단순, 새로움 등을 의미합니다. 내담자님에게 새로운 시작은 설레기도 하지만 두려움이기도 한 것 같습니다. 내담자님에게 필요한 것은 안정, 따뜻함, 자신감 등인 것 같은데 지지나 위로, 격려를 해 주는 사람이 없군요. 사람 사이의 관계는 누가 해주는 것이 아니라 자신이 선택하고 나아가야 하는 것입니다. 가정이나 학교에서 내담자에게 관심을 가지고 따뜻한 말 한마디 건네주는 그 사람이 내담자님을 진정으로 생각하고 걱정해 주는 사람이 되겠네요.

예를 들어 학교에서는 위클래스 상담 선생님이나 담임선생님이 그런 역할을 해 줄 수 있는 사람이고, 가정에서는 엄마가 되겠죠. 그분들께 내담자님의 생각을 전하세요. 지금 필요한 것이 무엇인지 솔직하게 터놓고 이야기한다면 도움을 받을 수 있을 거예요.

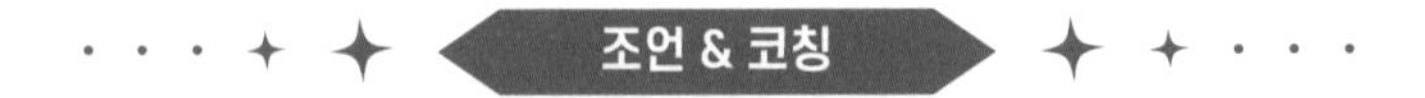

내담자는 새로운 환경과 모르는 친구들 사이에서 함께 생활하는 것에 대한 거부감, 두려움이 있어 보입니다. 거부감과 두려움으로 인하여 계속해서 회피하고 숨는다면 앞으로 더욱 힘들어질 수 있습니다. 현재 힘들고 두렵더라도 낯선 환경에 한 발을 내디뎌야 앞으로 나아갈 수 있습니다. 미지의 세계에 한 발 디디는 것은 많은 용기가 필요합니다. 용기를 내었다가도 다시 두려워져 회피하고 숨고 싶어질 수도 있습니다. 무슨 일이나 처음이 가장 힘들기 때문입니다. 용기를 내서 두려움을 뒤로하고 앞으로 나아간다면 내담자님의 생각처럼 두렵고 힘든 상황이 아닐 수도 있습니다. 처음 한 발짝을 내딛으십시오. 그러면 두 번째 발걸음은 좀 더 가벼울 것입니다.

마주할 용기가 없어 자꾸 뒤로 숨고 회피한다면 이것이 습관이 되어 마주하고 싶지 않은 일들이 생길 때마다 이런 일들이 반복되기 마련입니다. 자, 지금 용기를 내어 세상에 단 하나뿐인 내담자님을 위하여 한 발짝을 내딛으시기를 바랍니다. 파이팅!

사례 4

저는 중학교 교사입니다. 타로 상담 공부를 이제 막 시작했고, 학교에서 타로를 활용해서 상담을 조금씩 하고 있습니다. 제가 이 타로 상담 공부를 지속적으로 했을 때, 미래에 이것을 잘 활용할 수 있을까요? (48세 여성)

상담: 정보나 트레이너

현재 진행 결과

상담

선생님께서는 타로 상담 공부를 지속적으로 했을 때 미래에 잘 활용할 수 있는지 궁금하시군요. 미래라고 하면 교직 생활 중 상담에 잘 활용할 수 있는지 궁금하신 건가요? 아니면 정년퇴직이나 명예퇴직 후에 활용할 수 있을지 궁금하신 건가요? 아 그렇군요. 선생님은 교사로서 근무하는 동안 잘 활용할 수 있는지와 또 선생님께서 7년 후에 계획 중인 명예퇴직 후에도 잘 활용할 수 있는지 궁금하시군요.

현재 선생님은 타로 상담에 흥미를 갖기 시작하셨고, 타로에서 주는 통찰을 활용해 상담에 활용하고 싶은 마음과 함께 더 공부하는 게 좋을지 고민하고 계시네요. 선생님이 타로 상담 관련한 공부를 계속하시면 선생님은 그 공부를 통해 지성적인 면에서는 지식과 지적 능력을 갖추게 되고 심리적인 면에서는 자신감과 집중력을 갖게 될 것입니다. 교사로서 남은 기간, 또 명예퇴직 후의 제2의 인생에서 원하는 목표를 달성하고 자아를 완성해 가는 데 도움이 될 것으로 생각됩니다.

조언 & 코칭

타로 상담 공부가 교직 생활 동안, 그리고 명예퇴직 후에도 잘 활용할 수 있을지 고민하시는 거 충분히 공감합니다. 현재 흥미를 가지고 상담에 활용하신 것처럼, 자신감을 가지고 꾸준히 노력하시면 좋겠습니다. 꾸준한 공부와 쌓여 가는 상담에 대한 노하우가 선생님의 미래에도 좋은 결실로 이어질 것이라고 생각됩니다.

사례 5

저는 서울 소재 대학원을 졸업하였으나, 지방대를 졸업하여 취업 시 걱정이 되는 상황입니다. 제가 원하는 직장에 취직할 수 있을까요? (20대 후반 남성)

상담: 모연미 트레이너

상담

내담자는 중, 고등학교 재학 시에 학업 성적도 우수하고 임원도 역임하며 리더십도 있는 활달하고 적극적인 학생이었습니다. 고2 재학 시에 학업 스트레스로 자퇴도 생각했었다고 합니다. 6개월 방황하는 시간을 보내고 대입 준비를 하였지만, 생각보다 점수가 나오지 않아 수도권 대학에 하향 지원하였습니다. 결과는 뜻대로 되지 않아서 지방대를 지원하여, 전공학과 수석 입학으로 대학 생활을 시작하였습니다. 대학 졸업 후 내담자는 서울 소재의 대학원에 입학하여 공부를 계속 이어 나갔습니다. 대학원 졸업 후 취업 준비 과정에서 지방대학 졸업이 마음에 걸린다고 하였습니다.

먼저 세 장의 컬러 카드와 수비 카드를 뽑으라고 하였습니다. 컬러, 수비 카드 모두에서 메이저 카드인 「ORANGE Ⅲ」, 「INDIGO Ⅰ」, 「2. RELATIONSHIP(관계)」, 「7. SPIRITUALITY(영성)」 카드가 나왔습니다. 카드 3장 중 2장이 메이저 카드로 본인의 취업 의지가 강하게 작용한다고 하겠습니다.

현재 「ORANGE Ⅲ」는 강한 욕구를 바탕으로 「2. RELATIONSHIP(관계)」의 지혜롭고 신중한 모습을 통해 취업을 준비하고 있는 상황으로 보입니다. 진행 카드에서는 「INDIGO Ⅰ」의 신중하고 이성적 상황에서 객관적으로 판단하고 통찰하는 모습과 「7. SPIRITUALITY(영성)」에서 보이는 자아 성찰과 목표 달성의 강한 의지가 보입니다. 결과 카드 「BLUE GREEN」의 차분하고 편안한 마음을 가지고 이성적으로 준비한다면 「100. FLAWLESS PERFECTION(완벽함)」에서 더할 나위 없는 성공 및 안정과 기쁨으로 완성되는 상황으로 보입니다.

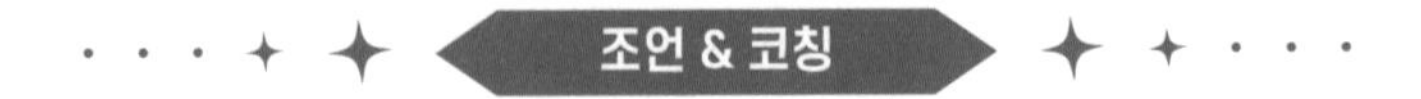

내담자의 취업에 대한 고민을 충분히 공감합니다. 본인의 취업 의지가 어느 누구보다도 강하게 느껴지는군요. 또한 대학원 재학 시 연구실에서 조교로 근무하면서 교수님들이나 선배, 동기들과의 균형 있고 조화로운 관계로 취업 준비하는 데 많은 조언과 도움을 받았다고 하니 큰 자산이라고 전달하였습니다. 학부에 대한 근심은 잊어버리고 자신감과 신중함으로 완벽하게 준비한다면 내담자가 원하는 직장에 안정적이고 완벽하게 취업할 수 있을 것이라고 조언하였습니다.

COLOR NUMEROLOGY TAROT CARDS

갈래길 / 선택 스프레드

사례 6

지금 다니고 있는 직장에서 집까지 삼십 분 정도 소요되는데, 걸어서 다닐 수 있는 가까운 오피스텔로 집을 옮기는 것이 나을까요? (40대 중반 여성)

상담: 박경화 트레이너

현재 집 재계약 | 직장 근처로 이사

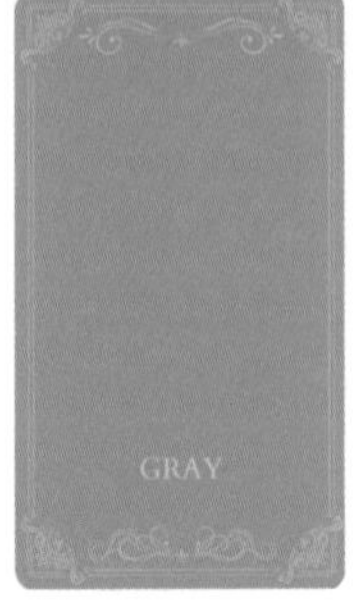

상담

내담자는 직업이 교사로 근무처가 바뀌면서 지금 다니고 있는 집에서 삼십 분 이상 걸릴 정도로 멀어졌습니다. 학교 근처로 이사를 가고 싶은 오피스텔이 있지만, 가지고 있는 자산을 다 사용해야 가능한 상황으로 고민하고 있습니다. 그래서 현재 집에 그대로 재계약할 때와 직장 근처의 집으로 이사할 때를 선택 스프레드를 통해 알아보았습니다.

현재 집은 전세로, 지금 있는 집에 살면서 빚 없이 재정적으로 여유롭게 지내고 있어 지금 집에서는 재정적인 면에서는 안정성이 「COPPER」 카드에서 보입니다. 그러나 현재 살고 있는 집에서 출퇴근하면서 거리와 시간에 따른 어려움 때문에 우울하거나 힘들어하는 부분이 「GRAY」에서 「BLACK 2」로 옮겨가는 카드의 흐름에서 느껴집니다. 시간이 지날수록 이른 아침에 나가서 늦은 시간에 들어오는 상황이 마음과 몸을 더 지치고 힘들게 만들 것 같습니다.

반면에 직장 근처로 이사할 때를 보면 이게 진짜 잘하는 것인지 처음에 불안하고 확신이 없어 보이지만, 「GREEN III」에서 「BLUE II」로 가는 카드의 흐름상 집을 옮기고 나서 직장을 다니기 시작하며 시간이 절약되면서 그만큼 충분히 몸과 마음의 여유를 가지게 될 거 같습니다. 그래서 충분한 만족감과 함께 점차 마음의 평화를 얻고 평안한 생활을 할 수 있을 것으로 보입니다.

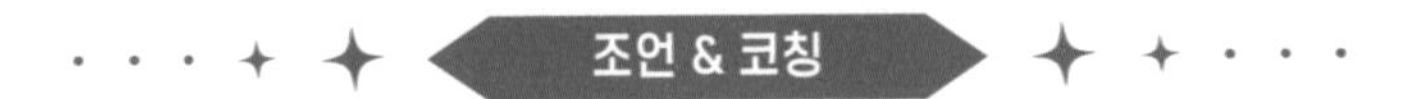

내담자는 현재 학교 교육과정이 학년 중심, 프로젝트 중심으로 재구성이 많이 이루어지기 때문에 출근 시간보다 빨리 가야 하는 상황이었고, 야근도 잦기 때문에 집에 머무르는 시간이 적은 편입니다. 따라서 학교를 옮기기 전부터 근처 오피스텔을 알아보았으나 매매로 나와 있는 것들만 있고 전세 매물은 거의 없는 편이라서 오피스텔을 구입할 것인지 고민하고 있습니다. 하지만 주변에서 오피스텔 구입은 다 반대하는 상황이라서 어떻게 해야 할지 고민이 많은 상태였습니다.

지금 같은 출퇴근 시간과 거리상으로는 카드의 흐름에서도 현재 집에서 지내는 것은 몸과 마음이 많이 힘들어질 수 있다는 생각이 들어서 그에 관련된 이야기로 상담 코칭을 진행하였습니다. 내담자가 상담을 나누면서 이야기하기를, 중간에 집주인이 바뀌었는데 예전 집주인보다 돈의 여유가 있는 것처럼 느껴지지 않는다고 하였습니다. 따라서 카드의 색을 보고 내담자도 이사를 하는 게 맞는 거 같다고 이야기를 했습니다.

내담자가 카드의 색을 보면서 스스로 느끼는 것처럼 몸과 마음의 여유를 가질 수 있는 상황을 만들어 주는 것이 무엇보다 필요하다고 코칭하였습니다.

사례 7

자녀가 진로를 무용 분야로 정하고 예술고 진학을 원합니다. 예고 준비에 많은 사교육비가 지출될 것이고 무엇보다 자녀의 성적이 나쁘지 않아서 저는 일반고 진학을 권하고 있습니다. 되도록 위험 부담이 큰 예술 분야를 시키고 싶지 않습니다. 자녀의 진학을 어떻게 해야 할까요? (40대 여성)

상담: 장혜선 트레이너

일반고 진학 / 예술고 진학

결과

진행

현재

상담

수비타로카드 0번에서 21번까지 22장을 사용하여 갈래길 / 선택 스프레드를 적용하였습니다.

현재에 해당하는 카드로 「2. RELATIONSHIP(관계)」과 「20. EXPECTATION(기대)」이 나왔습니다. 내담자는 자녀의 고등학교 진학에 관하여 두 가지 마음이 공존합니다. 현실적인 여러 상황을 고려하여 일반고를 보내자는 마음과 자녀의 재능에 대해 기대하며 예술고를 보내고 싶은 마음입니다.

일반고로 진학을 결정한다면 「16. SUDDEN CHANGE(급격한 변화)」와 「7. SPIRITUALITY(영성)」 카드로 보아 자녀에게 급격한 변화가 와서 그것이 내담자에게도 큰 영향을 끼칠 것입니다. 급격한 변화는 안정된 상황을 붕괴시키고 예상치 못할 상처를 남길 가능성이 있습니다.

즉, 자녀가 예술고 진학에 반대하는 내담자에게 크게 반항하며 방황을 할 수 있습니다. 왜 이런 위기가 왔는지 내담자는 깊은 성찰의 시간을 가질 것이며 성찰의 과정은 힘들겠지만, 자녀의 진로를 위해 내담자는 지금까지의 방법이나 가치관을 변화시키는 새로운 방안을 모색할 것입니다.

만약 자녀가 예술고로 진학하도록 도와준다면 「3. CREATIVE POWER(창조적)」와 「10. PERFECTION(완전함)」 카드로 보아 그것은 결실을 맺을 가능성이 있습니다. 자녀는 물론 내담자도 재능과 진로에 대해 훨씬 확장된 안목을 갖게 되고 진로에 대한 자신감과 확신도 생길 것입니다. 예술고로의 진학을 통해 단지 예술고 합격으로만 머물지 않고 앞으로 더 큰 꿈을 그리는 시작이 될 것입니다.

조언 & 코칭

내담자는 자녀가 진로로 무용 분야를 선택한 것에 대해 마음속으로는 기대하면서 자녀의 핑크빛 성공을 상상하기도 합니다. 그러나 가정의 경제 상황이 여유롭지 못한 점과 무용 분야가 안정된 직업이 될 수 없다는 생각 때문에 쉽게 결정을 내리지 못하고 갈등하고 있습니다. 이러한 내담자의 고민에 대해 충분히 이해하고 공감합니다. 그러나 자녀가 무용에 대해 얼마나 진지하게 임하고 있는지 대화를 통해 알아보셨으면 합니다. 자녀의 재능이 어느 정도 수준인지도 전문가와의 상담을 통해 객관적으로 알아보고 종합적으로 판단하길 권합니다. 무엇보다 내담자는 「3. CREATIVE POWER(창조적)」 카드와 같이 자녀를 위해서라면 새로운 것을 창조하고 어려움을 해결할 수 있는 모성애가 넘치는 사람입니다.

또한 「2. RELATIONSHIP(관계)」 카드로 보아 자녀가 예술고 진학을 목표로 했다가 떨어지면 어쩌나 하는 소극적인 판단으로 일반고 진학을 생각하는데, 자녀가 진정 무용을 희망한다면 예술고 진학에 떨어지고 일반고로 진학해도 무용을 포기하지 않을 것입니다. 내담자부터 '노력할 수 있는 데까지 해 보고 안 되면 일반고 가서 무용을 하면 된다'라는 편한 마음을 갖고 자녀를 응원하길 바랍니다.

사례 8

고등학교 진학을 앞두고 있습니다. 특목고와 일반고를 고민 중이에요. 어느 고등학교로 가는 것이 좋을까요? (중3 여중생)

상담: 김은미 트레이너

상담

내담자는 중3이 되어서 고등학교 진학을 앞두고 고민 중입니다. 반에서 성적은 우수한 편으로 부모님도 특목고 진학이든 일반고 진학이든 내담자의 뜻을 존중하고 계신다고 합니다.

우선 일반고로 진학할 때를 보면 「RED Ⅰ」-「YELLOW Ⅱ」-「GREEN Ⅲ」이 나왔네요. 이 학생은 현재 일반고에 대해서는 특목고에 비해 의욕이 없나 봅니다. 그래도 일반고로 진학을 하게 되면 자신감 있고 즐겁게 공부해 나갈 듯해요. 「GREEN Ⅲ」이 나온 것으로 보아 학교생활에 있어 안정감을 넘어 더 풍요롭게 잘해 나갈 듯합니다. 하지만 자칫 그 생활 속에 익숙해져서 자만하지 않도록 주의해야 하는 부분도 보이네요.

특목고에 대해서는 「ORANGE Ⅲ」-「COPPER」-「GOLD」가 나왔네요. 현재 특목고에 가고 싶은 마음이 일반고보다도 큰가 봅니다. 특목고를 가게 되면 「COPPER」-「GOLD」의 흐름으로 학교생활에서 자신이 원하는 만큼 공부를 해 내고, 욕심낸 만큼 원하는 성과를 충분히 잘 얻을 수 있을 것 같습니다.

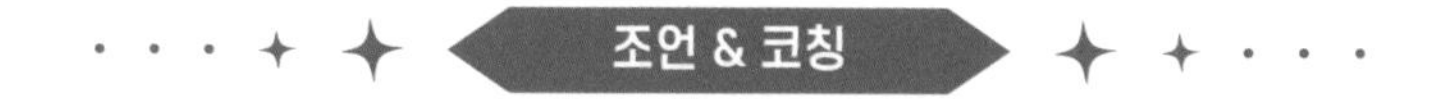

내담자는 공부에 대한 욕심이 많고 그동안 생각지 않았던 특목고에 대한 관심이 막 생겨난 상황이라고 합니다. 자신은 어떤 환경이 주어지더라도 이겨 낸 경험도 있어 어려운 상황 속에서 그만큼 더 잘 적응해 나갈 수 있다고 자신하는 듯했습니다. 일반고보다는 특목고에 진학하고 싶은 마음이 더 커 보입니다. 일반고에 진학하더라도 잘해 나갈 듯하나, 자칫

자만할 수 있어 보이긴 합니다. 특목고에 가면 일반고보다는 더 성과가 있어 보입니다. 하지만 아직 시간적 여유가 있으니 좀 더 알아보고 신중하게 선택하면 좋겠습니다. 내담자는 일반고를 가든 특목고를 가든 자신이 원하는 목표를 이루어 내는 사람이니까요.

사례 9

지금 운영하는 공방을 계속 운영해야 할지, 접고 다른 일을 시작해야 할지…. 어떤 것이 나을까요? (50대 중반 남성)

상담: 소난영 트레이너

내담자는 현재 목공방(가구공방)을 운영 중입니다. 몇 년째 적자 운영으로 새로운 사업을 해야 하나, 아니면 그대로 운영을 해야 하나 고민 중인 상황으로 지인을 통해 상담 의뢰를 소개받았습니다.

상담

내담자님은 현재 목공방을 운영 중이나 잘되지 않아 이직을 고려 중이군요. 다른 일을 찾으려니 50대 중반으로 할 수 있는 일이 많지 않아 답답해하는 모습이 컬러로 나타납니다. 계속된 운영 적자에 다른 일을 고려하며, 부정확한 미래에 대한 불안으로 이러지도 저러지도 못하는 상황으로 보입니다. 하지만 처음 공방을 시작했던 순수함과 희망을 다시 생각하시기를 권해 드립니다. 이제 고난의 시기는 지나가고 희망이 보이기 시작하는 듯합니다. 이제까지 힘들게 했던 문제들이 하나둘씩 해결되고, 사업의 행운이 다가오고 있습니다. 결과 카드로 나온 「GOLD」 카드는 '축복, 성공, 완성, 영광, 풍요, 부' 등을 나타내는 긍정의 카드입니다. 그러므로 지금 하시던 일을 통해 성공과 물질이 따라오리라 생각됩니다.

반면에 새로운 희망 등으로 새로운 일을 시작하지만, 그 일에서의 미숙함과 지식의 부족 등으로 시행착오를 하게 되어 혼란이 가중될 수 있습니다. 일의 진행이 더뎌 이전보다 더 힘들 수도 있습니다. 하지만 이러한 상황을 견딘다면 새로운 일에서 풍요로움이 찾아오는 듯 보일 수 있습니다. 그러나 이러한 상황은 일시적일 수 있습니다. 그러니 결정을 할 때는 심사숙고 할 것을 권합니다.

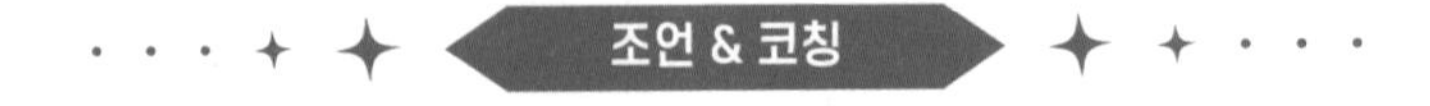

내담자님께서는 생각했던 것보다 공방 사업이 순항이 되지 않아 많이 힘드셨을 것으로 생각됩니다. 그러나 앞으로는 계속 순조롭게 일이 진행되고 지금까지 고민되고 힘들었던 문제들이 해결되면서 물질적으로

안정이 되고 공방 또한 운영이 성공적으로 이루어질 것으로 보입니다.

다른 일을 시작한다면 공방을 시작해서 겪어야 했던 불안과 어려움, 힘듦 등을 다시 경험해야 할 수도 있습니다. 그러므로 새로운 일을 시작하기보다는 현재 하고 계신 공방 운영에 매진하시는 것이 더 좋을 듯 보입니다. 새로운 일을 시작한다는 것은 누구나 힘들고 어려우며, 스트레스를 많이 받게 됩니다. 새로운 일이 보장된 길이라면 그 길을 걸어가셔도 되지만 내담자님의 나이, 체력, 건강 등을 고려하신다면 새로운 일보다는 현재 하고 계시는 일에 집중하신다면 더 좋은 결과로 이어질 것으로 생각됩니다.

사례 10

내담자는 어려서부터 공부를 잘하는 학생입니다. 현재 고3 이과 재학생으로 대학 진학과 관련하여 과 선택에 대한 고민이 많습니다. 지금 성적으로 서울 소재 공대(서울대 제외)는 무난하게 합격이 예상되나, 본인은 의대 진학을 희망하고 있습니다. 수도권 의대(지방대 포함)에 무난히 합격할 수 있을까요?

상담: 모연미 트레이너

공학 계열 의학 계열

결과

SPIRITUALITY

진행

MODERATION

현재

DESIRE

상담

공학 계열 진학 시 「2. RELATIONSHIP(관계)」 - 「11. JUSTIFICATION(정당화)」 - 「7. SPIRITUALITY(영성)」 카드가 나왔습니다. 내담자는 현재 공학 계열 지원이 의학 계열 진학보다 좀 더 편안하게 지원할 수 있나 봅니다. 현재 지혜롭고, 주도적 학습이 잘되어 있고, 이해력과 균형 잡힌 태도로 공부 계획을 세워 열심히 대입 준비를 하는 상황으로 보입니다. 진행 과정에서는 스스로 치밀하고 합리적으로 생각하고 행동하는 모습으로 보입니다. 결과적으로 자기 자신을 통제하고 주도적으로 강한 의지를 발휘하여 목표를 달성하리라 보입니다.

의학 계열 진학 시 「12. DESIRE(욕망)」 - 「14. MODERATION(절제)」 - 「21. TOTALITY(전체성)」 카드가 나왔습니다. 현재 상황에서는 더 많은 시간과 노력을 투자해야만 하는 상황으로 보입니다. 진행 상황에서는 공부에 대한 부담으로 힘들어하지만 인내하고 균형 있게 보내야 할 시간으로 보입니다. 결과적으로 본인의 배움을 통한 완성으로 완벽한 마무리, 즉 한 단계 업그레이드된 새로운 출발로 좋은 소식이 있을 거라 보입니다.

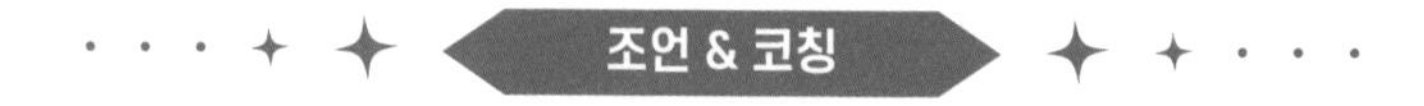

내담자 본인은 현재 불확실한 미래에 대한 많은 고민으로 힘들어하는 모습이 보입니다. 이러한 상황에서 그만큼 노력하고 극복해 나가는 게 쉬운 일은 아니지만, 내담자는 과거 힘든 상황들을 극복해 낸 경험이 있고, 스스로의 의지 또한 강해 보입니다. 지금까지 해 온 학습 패턴으로 치밀하게 자기 주도 학습을 한다면 최종적인 완성, 즉 해피엔딩으로 새로운 시작을 하게 될 것으로 보인다고 말해 주었습니다. 두 카드의 미래가 나쁘지 않기 때문에 선택은 본인의 몫이지만 선생님과 부모님 및 주변의 조언을 경청하고, 무엇보다 본인의 강한 목표와 의지를 가지고 선택한다면 반드시 좋은 결과를 가져올 것이라고 조언하였습니다.

집을 직장 근처로 옮긴다면 오피스텔을 구입해서 가는 것이 나을까요? 전세로 가는 것이 나을까요? (40대 중반 여성)

상담: 박경화 트레이너

전세로 이사할 때	오피스텔을 매매할 때
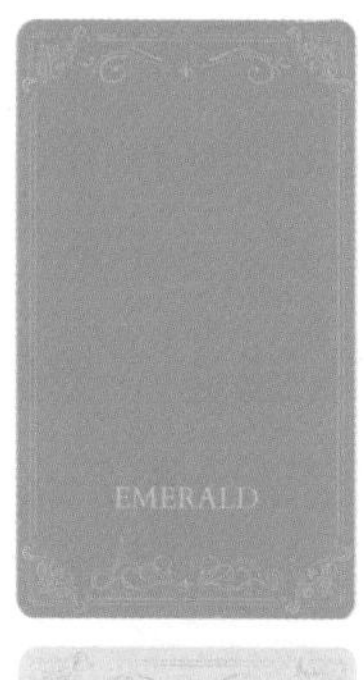	

상담

새로 집을 옮길 때 주변에서 만류하고 있는 오피스텔 구입과 어렵지만 전셋집 구하기 중에 선택 스프레드를 진행하기로 했습니다.

내담자가 직장 근처 걸어 다닐 수 있는 거리의 오피스텔이 매매로 나와 있는데, 그에 관련하여 주변의 반대가 많다고 이야기했습니다.

내담자는 그 오피스텔의 구입에 대해 근무처를 옮기기 전부터 알아볼 정도로 마음이 적극적으로 기울고 있음이 「RED Ⅱ」 카드에서 보입니다. 하지만 실제로 가지고 있는 자산을 다 소진하면서 오피스텔을 구입하고 난 후에 생활하면서는 행복하지만은 않을 수 있음이 「BLACK Ⅰ」에서 보입니다. 여유 자금이 없을 때의 불안한 마음과 생활하면서 걱정이 늘어날 수도 있을 것 같습니다. 그래도 「BLUE Ⅱ」로 가는 카드의 흐름상 직장과 거리가 가까워지면서 몸과 마음은 편안하게 느낄 것입니다.

어렵겠지만 시간을 들여서 전세를 알아보고 이사했을 때는 자신이 원하는 바보다는 주변의 권유로 시작되는 것이기 때문에 자신의 마음적으로는 열정이 생기지 않을 수 있습니다. 하지만 「BLUE Ⅰ」-「YELLOW Ⅰ」-「EMERALD」로 가는 카드의 흐름상 재정적으로 안정적인 출발과 함께 다소 여유로우며 편안한 마음으로 새집에서 출발할 수 있을 것 같습니다. 결국 새집에서 생활하면서 안정적이고 심신의 평화를 얻을 수 있을 거라고 생각합니다.

조언 & 코칭

내담자 본인은 오피스텔의 위치상 유동인구가 많고 젊은 사람들의 다양한 직장이 모여 있어서 자산가치가 하락하지 않을 것이기에 괜찮을 거로 생각하고 있습니다. 하지만 주변에서 오피스텔은 구입하는 것이 아니라고 다 만류하고 있으며 현재 본인 소유의 집은 없습니다. 따라서 현실적인 조언을 따를 필요가 있다고 생각됩니다. 카드의 흐름도 내담자의 의지는 오피스텔 구입에 많이 있어 보이나 그것이 현실적인 안정에는 도움이 되지 않으며 도리어 구입에 따른 어려움이 마음의 불안을 더 야기할 수 있습니다. 몸이 편안해지면서 스스로 괜찮다고 마음의 위안을 얻으며 마음의 균형을 잡겠지만, 전세로 이사 갔을 때와 비교하면 다소 여유로운 출발이 더 큰 안정을 가져오고 끝에는 더 큰 행복을 가져다줄 수 있을 것 같습니다. 두 카드의 미래가 나쁘지 않기 때문에 선택은 본인의 몫이지만, 주변의 이야기를 좀 더 새겨들으며 신중한 선택을 하면 좋을 것 같다고 코칭하였습니다.

COLOR NUMEROLOGY TAROT CARDS

04 켈틱크로스 스프레드

사례 12

여자 친구를 만나 5개월째 사귀고 있는데, 서로 가까운 곳에 거주하고 있어 자주 만나게 되면서 사랑하는 마음도 커졌고, 서로에 대하여 알게 되고, 생활하는 모습을 보며 배우자로도 생각이 듭니다. 저희는 앞으로 어떻게 될까요? (29세 남성)

상담: 우수옥 트레이너

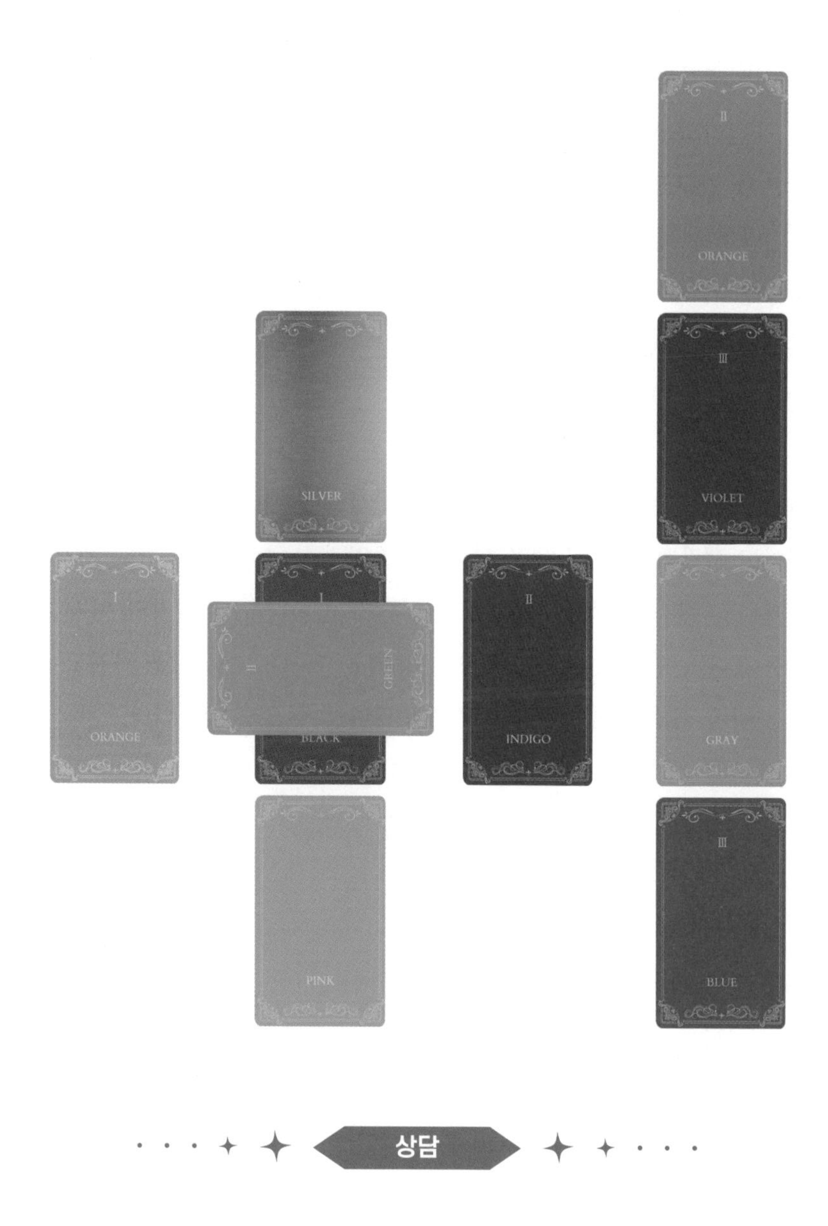

상담

5개월 정도의 만남을 지속하고 있는데 여자 친구를 배우자로도 생각하며 많이 고민하고 계신 것 같군요. 내담자께서는 여자 친구와 사랑에 눈뜨며 관심을 두고 서서히 사랑을 키워 오셨는데, 현재 여자 친구를 배우자로 생각하기에 고민하며 혼란한 상황을 겪고 있네요. 그러나 이러한 내담자의 생각을 여자 친구에게 말하거나 이야기를 나누어 보지는 않은 것 같군요.

내담자는 여자 친구가 발랄하고 귀엽고 부드러우며 친근하여 순수한 사랑을 키워 가고자 하는 마음이 있으면서도, 변화를 추구하여 나아가야 하는 부분에서는 냉정하고 보수적인 것 같아요. 앞으로도 고민하며 깊은 생각을 많이 하게 될 것 같군요.

내담자는 본인이 무척이나 이성적이고 사려 깊다고 생각하는데, 다른 사람들은 내담자가 너무 진지하고 불확실하며 애매모호하고 우유부단하다고 생각합니다. 여자 친구도 그렇게 생각할 수 있어요. 너무 불안해하거나 혼란스러워하는 것은 도움이 되지 않습니다. 내담자와 여자 친구는 좋은 인연으로 안정을 유지할 수 있을 거예요. 자신감을 가지고 함께 사랑을 키워 가면 만족하는 관계로 나아갈 수 있을 것입니다.

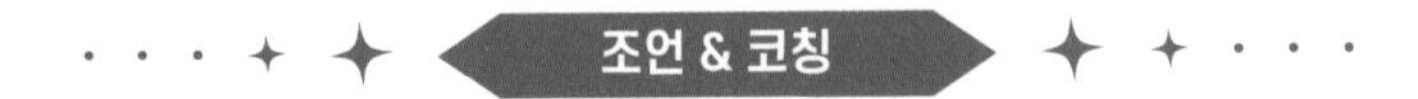

내담자와 여자 친구가 아직은 사귄 지 오래되지 않았고, 내담자께서 적극적으로 이끌어 가지 않으면서 앞날에 대하여 고민하고 혼란스러워하는 상황인데, 여자 친구와 적극적으로 소통하며 자신감을 갖고 애정 관계를 성숙시켜 나간다면 좋은 결과의 인연을 맺을 수 있을 거예요.

(※ 내담자와 여자 친구의 출생 성명을 물어 운명수와 혼의 수, 성격수를 살펴봄[8])

내담자는 운명 수가 8, 혼의 수가 22/4, 성격수가 4(13/4)이고, 여자 친

8) 2024년 12월 예정인 『타로 수비학』책에서 자세히 다룰 예정이다.

구는 운명 수가 11/2, 혼의 수도 11/2, 성격수는 9예요. 먼저 내담자와 여자 친구의 혼의 수를 살펴보면 내담자는 22/4이고, 여자 친구는 11/2인데 두 사람 모두 마스터 수를 가져 특별한 에너지를 가졌다고 할 수 있어요. 내담자는 명확한 목표를 가지고 삶이 안정되어 있는, 자신의 꿈을 함께 공유할 수 있는 여자 친구를 희망하는데 여자 친구도 연인과의 관계가 편안하길 갈망하고 애정 문제에 온화하고 달콤하며 상대방을 즐겁게 해 주길 원하는 분입니다. 운명수를 보면 내담자는 8, 여자 친구는 11/2예요. 내담자는 인생의 목적을 성취와 성공에 두고 자신을 통제하며 타고난 리더십을 발휘해 나갈 것이며, 여자 친구는 다른 사람들의 삶을 개혁하고 상승시키며 변형해 가는 일을 하는 사명을 가지고 있습니다.

성격수를 보면 내담자는 4, 여자 친구는 9예요. 내담자는 검소하며 근면하고 믿을 수 있고, 진실하며 책임을 다하면서 여유를 가지고 새로운 길을 모색해 안정적인 토대를 마련하는데, 여자 친구는 따뜻하고 친절하며 참을성 많고 잘 보살펴 주는 인정 있으며 다른 사람들에게 매우 사랑받고 존경받는 사람입니다.

서로 일치하는 수는 없지만 서로 보완이 가능하고, 보완하여 함께 성숙된 삶을 살아갈 수 있는 면이 많습니다. 서로의 차이를 위해 완고함이나 독단을 버리고 균형을 맞추며, 세심한 관심을 가지고 존중하며 갈등을 최소화하고, 때로는 진실한 소통으로 변화를 도모하고 서로의 자유로운 갈망도 이해하며, 진실하게 책임지며 깊은 사랑을 지켜나가야 할 것입니다.

내담자는 현재 29세로 첫 번째 절정 주기에 해당되며 절정수 6인데 가족에 대한 사랑과 의무와 책임감을 갖는 시기로 결혼을 하는 경우가 많은 때입니다. 그러면서 도전수 2의 점진적으로 인내심 있게 인생을 발전시켜 나가야 하는 도전을 받는 시기이기도 합니다. 자신 있게 여자 친구와 협력하고 아름다우며 조화로움을 도모하여 사랑의 결실을 맺으시기 바랍니다.

 COLOR NUMEROLOGY TAROT CARDS

기타
- 말발굽 스프레드

사례 13

특목고에 진학하면 학교생활이 어떨까요? (중3 여중생)

상담: 김은미 트레이너

핵심문제

희망과 기대
다가올 문제

가까운 미래

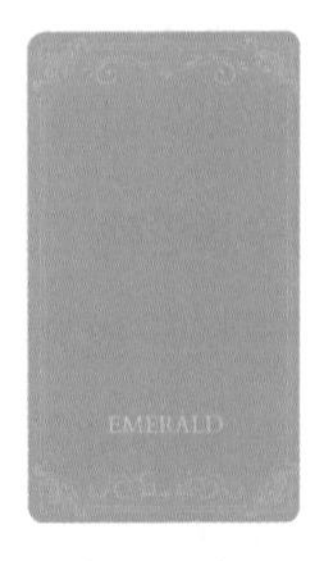

현재상황

먼 미래

상담

내담자의 위 질문에 이어서 특목고로 진학하게 되면 학교생활이 어떨지 궁금해하여 말발굽 스프레드로 알아보았습니다.

현재 상황은 에메랄드로 편안하고 여유롭게 중학교 생활을 지내고 있는 것으로 보입니다. 희망과 기대/다가올 문제로도 「EMERALD」가 나왔습니다. 특목고 생활도 지금처럼 차분하고 편안하게 생활하고 자신이 원하는 만큼의 성과를 얻기를 기대하는 것으로 보입니다. 아마 그런 기대치가 문제가 될지도 모르겠습니다. 가까운 미래는 「RAINBOW」로 특목고 생활의 시작은 자신의 능력을 다양하게 펼쳐 내는 기회들로 활발하고 즐겁게 생활해 나가겠지만, 그만큼의 혼란스러움도 있을 것으로 보입니다. 그 기간을 지나 더 먼 미래는 「BLACK Ⅰ」으로 「RAINBOW」의 활발하고 동시에 혼란스러운 생활을 지내며 힘든 시기가 오나 봅니다. 조금 우울하기도 하고 체력적인 면에서도 힘들 수 있을 것 같습니다. 여기 온 것이 잘한 것인가 하는 고민이 될 수도 있고요. 이 문제에서의 핵심은 「INDIGO Ⅱ」인데요. 자신의 자리에서 침착하게 통찰력을 가지고 초연하게 대처해 나가는 것이 중요하다고 카드가 말해 줍니다.

조언 & 코칭

특목고라는 상황이 내담자가 생활해 온 중학교와는 큰 차이가 있을 수 있습니다. 환경이 바뀌니 처음에는 재미있다가도 혼란스럽기도 하고 적응해 나감에 있어서 힘들 것은 어쩌면 당연합니다. 자신이 선택하여 온 상황인 만큼 힘들어만 하고 있기보다는 자신을 성찰하고 내면에 집중해 나가는 것이 필요합니다. 초연하게 자신이 해야 할 일들을 해 나간다면 여러 고비를 잘 넘겨 나갈 수 있을 것입니다. 결국, 스스로 어떻게 해 나가느냐에 따라 삶은 바뀌어 나가니까요.

컬러수비타로카드 저자 및 자문

대표 저자 이미정

『한국타로&NLP상담전문가협회』 마스터 트레이너

『한국만다라심리상담협회』 마스터 트레이너

미국 타로길드 그랜드마스터 자격(USA TAROT GUILD CTGM)

前) 충북대, 충남대 평생교육원 출강

소유 저작권 & 특허권

MBTI 타로카드, 만다라 명상& 타로카드, 컬러수비타로카드 등

저서

『타로카드상담과 NLP힐링치유』, 『타로카드상담전문가』, 『학교 타로상담&NLP상담』, 『심볼론카드 상담전문가』, 『데카메론 타로카드상담전문가』, 『타로상담전문가 프레젠테이션』, 『만다라 코칭 & 실제』, 『만다라 명상 & 타로카드』, 『MBTI 타로카드』외 대표 공저

대표 저자 우수옥

『한국만다라심리상담협회』전문가

『한국타로&NLP상담전문가협회』전문가

타로 수비학 전문가 트레이너(1급)

만다라 타로상담 코칭전문가 트레이너(1급)

MBTI 타로상담 전문가 트레이너(1급)

만다라 코칭, 심볼론, 데카메론, 마르세이유 트레이너(1급)

MBTI 전문강사 자격『한국MBTI연구소』

교육학(교육정책, 과학교육) 석사

전문상담교사 1급

現) 초등학교 교장

저서

『MBTI 타로카드』, 『컬러수비타로카드』외 5권 공저

대표 저자 김은미

『한국만다라심리상담협회』&『한국타로&NLP상담전문가협회』전문가

타로 수비학 전문가 트레이너(1급)

만다라 타로상담 코칭전문가 트레이너(1급)

MBTI 타로상담 전문가 트레이너(1급), MBTI 전문강사 자격『한국MBTI연구소』

유니버셜 웨이트, 컬러타로, 오쇼젠, 심볼론, 데카메론, 마르세이유 트레이너(1급)

상담심리학 석사, 전문상담교사 1급

ABH 최면 마스터 프랙티셔너, TPTF 파츠테라피 퍼실리테이터, 울트라뎁스 퍼실리테이터

現) 초등학교 교사

저서

『MBTI 타로카드』, 『컬러수비타로카드』 외 5권 대표 공저

『질문과 이야기가 있는 교실』, 『선생님의 해방일지』, 『학교 타로상담 & NLP상담(기본편)』(개정판), 『심볼론카드 상담전문가』(개정판), 『데카메론 타로카드 상담전문가』, 『만다라 코칭 & 실제』, 『만다라 명상 & 타로카드』, 『MBTI 타로카드』, 『컬러수비타로카드』공저

대표 저자 박경화

『한국만다라심리상담협회』전문가

『한국타로&NLP상담전문가협회』전문가

전문상담교사 1급

컬러타로상담전문가 트레이너(1급)

타로 수비학 전문가 트레이너(1급)

만다라 타로 · MBTI 타로상담 상담전문가

유니버셜웨이트타로 · 심볼론 · 오쇼젠 · 데카메론 상담전문가

교육대학원 상담심리 석사

現) 초등교사

저서

『MBTI 타로카드』, 『컬러수비타로카드』공저

대표 저자 소난영

『한국만다라심리상담협회』전문가

『한국타로&NLP상담전문가협회』전문가

컬러타로상담전문가 트레이너(1급)

타로 수비학 전문가 2급

만다라 타로카드, MBTI타로상담 전문가 트레이너(1급)

유니버셜웨이트 타로카드, 심볼론, 오쇼젠, 데카메론 상담전문가 트레이너(1급)

교육학과 전공 교육심리 및 상담 박사 수료

現) 중학교 전문상담사

저서

『심볼론카드 상담전문가』, 『데카메론 타로카드 상담전문가』, 『만다라 명상 & 타로카드』, 『MBTI 타로카드』, 『컬러수비타로카드』공저

대표 저자 정보나

『한국만다라심리상담협회』전문가

『한국타로&NLP상담전문가협회』전문가

타로 수비학 전문가 트레이너(1급)

컬러타로상담 전문가 트레이너(1급)

마르세이유 타로상담 전문가 트레이너(1급)

데카메론 타로상담 전문가 트레이너(1급)

유니버셜웨이트, 만다라 코칭 및 타로상담, MBTI 타로상담(2급)

MBTI 전문강사 자격『한국MBTI연구소』

교육학(수학교육) 박사 수료

現) 교육전문직

저서

『컬러수비타로카드』공저

대표 저자 장혜선

『한국만다라심리상담협회』전문가

『한국타로&NLP상담전문가협회』전문가

컬러타로상담전문가 트레이너(1급)

만다라타로상담전문가 트레이너(1급)

MBTI 타로상담전문가 트레이너(1급)

타로 수비학 전문가 트레이너(1급)

유니버셜웨이트 타로카드, 심볼론, 오쇼젠 상담전문가

現) 중등교사

저서

『만다라 명상 & 타로카드』공저

대표 저자 모연미

『한국만다라심리상담협회』전문가

『한국타로&NLP상담전문가협회』전문가

만다라 타로 상담전문가 트레이너(1급)

타로 수비학 전문가 트레이너(1급)

데카메론 타로상담 트레이너(1급)

만다라 코칭, MBTI 타로상담 상담전문가

유니버셜웨이트 타로카드, 오쇼젠, 컬러타로 상담전문가

심리상담사 2급

학교폭력상담사 2급

다문화가정복지상담사 2급

교육학(체육교육) 석사

現) 초등학교 교사

저서

『컬러타로수비학』공저

공동 저자 민현숙

『한국만다라심리상담협회』전문가

『한국타로&NLP상담전문가협회』전문가

컬러타로 상담전문가 트레이너(1급)

타로수비학전문가 트레이너(1급)

만다라 코칭전문가 트레이너(1급)

만다라 타로상담 코칭전문가 트레이너(1급)

마르세이유 타로상담전문가 트레이너(1급)

심볼론 타로상담전문가 트레이너(1급)

타로상담전문가, 만다라 드로잉 코칭전문가(2급)

오쇼젠 타로상담전문가, 데카메론 타로상담전문가(3급)

미술교육, 중등특수교육 석사

공동 저자 김연선

『한국만다라심리상담협회』전문가

『한국타로&NLP상담전문가협회』전문가

MBTI 타로상담전문가 전문 트레이너(1급)

타로수비학전문가(2급)

만다라코칭전문가(2급)

한국역사학(문학사심화) 학사, 상담심리학과 재학

타로심리상담사 1급, 심리상담사 1급, 심리분석사 1급

상수리타로 유튜브, 블로그 운영

대표 자문 최옥환(필명 최지훤)

미국 타로길드 그랜드마스터 자격(USA TAROT GUILD CTGM)

『한국만다라심리상담협회』마스터 트레이너

『한국타로&NLP상담전문가협회』마스터 트레이너

『한국진로상담협회』수련감독 & 슈퍼바이저 자격

국제공인 NLP트레이너(캐나다 에릭슨칼리지 & K-NLP)

국제공인 미국 ABH(최면치료협회) 트레이너

MBTI 전문강사 자격『한국MBTI연구소』

『일본 컬러라이트테라피협회(JCLTA)』 마스터 강사 자격

꿈 분석전문가 자격

『한국상담학회』정회원

교육학(교육심리 & 상담 전공) 박사 수료

국내 대학 & 교원연수 타로상담 강의 운영 선구자

서울교대, 경기대, 충북대, 충남대 등 평생교육원 타로상담 & NLP 대표 강사

한국교원연수원 전국 교원 및 일반인 타로상담전문가 자격 연수

경기 수원교육지원청, 이천교육지원청 WEE클래스 상담교사 대상 교원연수

서울교육청, 경기교육청, 충북 단재교육연수원, 경기도교육연수원 등 교원연수

소유 저작권

MBTI 타로카드, 컬러타로상담카드 등

저작권 보유 라이센스

유니버셜웨이트 타로카드, 마르세이유 타로카드, 심볼론 타로카드, 데카메론 타로카드 라이센스 보유

대표 저서-베스트셀러

『타로카드상담과 NLP힐링치유』(2쇄 품절), 『타로카드상담전문가』(2쇄 품절), 『타로상담전문가 프레젠테이션』(품절), 『데카메론 타로카드상담전문가』(2쇄 품절), 『심볼론카드 상담전문가』(2쇄), 『학교 타로상담&NLP상담』(기본편), 『마르세이유 타로카드 상담전문가』, 『컬러타로상담카드』, 『컬러타로상담전문가』, 『타로상담의 정석(기본편)』, 『MBTI 타로카드』등

운영 카페

한국타로&NLP상담전문가협회 + 한국만다라심리상담협회 카페

https://cafe.daum.net/KANLP

자문 서경은

『한국만다라심리상담협회』전문가

『한국타로&NLP상담전문가협회』전문가

충북대학교 평생교육원 타로상담 전문가과정 강사

경기대학교 평생교육원 만다라드로잉 전문가과정 강사

現) 한국만다라심리상담협회장, 한국타로&NLP상담전문가협회장

저서

타로상담의 정석, 학교 타로상담 & NLP상담(기본편) (개정판) 공저 외

자문 성영미

교육학(미술치료교육전공) 박사

『한국만다라심리상담협회』전문가

『한국타로&NLP상담전문가협회』전문가

사) 한상담학회 한상담전문가 1급

사) 감정코칭협회 감정코칭 전문강사, HD행복연구소 회복탄력성 전문강사

現) 중등교사

저서

만다라 코칭 & 실제, 학교 타로상담 & NLP상담(기본편), 공감 교실 어떻게 가꿀까

한국타로&NLP상담전문가협회,
한국만다라심리상담협회 전문서적 안내

· · · · ✦ ✦ ✦ ✦ ✦ · · · ·

1. 타로상담 전문가 전문서적

(1) 타로카드상담과 NLP힐링치유(초판, 개정판 품절)

저자 최지훤 외 **출판사** 해드림출판사
발행일 2017년 5월 22일 **사양** 신국판

타로상담의 기초 내용을 자세히 소개했다. 기존 타로를 점이라고 인식하는 독자, 수강생들에게 타로상담을 소개하고 효율적인 상담 방법인 NLP상담을 접목한 국내 최초의 타로상담 & NLP상담 서적이다. 너무나 좋은 인기로 아쉽게 2000권 모두 품절이다.

(2) 타로카드상담전문가(초판, 개정판 품절)

저자 최지훤 외 **출판사** 해드림출판사
발행일 2020년 2월 20일 **사양** 160*231(양장)

타로상담전문가를 꿈꾸는 사람이라면 반드시 읽어보아야 할 필독서! 타로상담 기본 내용과 고급 실전 상담까지 수록되어 있는 타로카드상담전문가를 위한 고급 전문서이다. 타로카드상담전문가를 꿈꾸는 독자들에게 상당히 인기 있는 베스트셀러로 벌써 개정판(2쇄)을 출판했다. 대학교 평생교육원, 교원연수 등의 강의에서 사용하는 전문 실전서이다.

(3) 칼라 심리 & 상담카드(품절)

저자 최지훤 외	**출판사** 해드림출판사
발행일 2018년 7월 7일	**사양** 책+카드 세트

사람의 마음, 잠재의식과의 연결고리, 커뮤니케이션을 위한 칼라 심리 & 상담카드. 컬러와 수비학적인 신비로움을 가미하여 칼라 심리 & 상담카드가 제작되었다. 학교현장 및 상담현장에서 폭넓고 다채롭게 활용되고 있다. 수강생과 독자들은 한결같이 이야기한다. 서프라이즈~ 라고...

(4) 타로카드 상담전문가 프레젠테이션(품절)

저자 최지훤 외	**출판사** 해드림출판사
발행일 2019년 11월 11일	**사양** 4*6배판(양장)

타로 전문 강사를 위한 PPT 강의 내용을 책으로 출판하여 타로상담전문가의 커리큘럼을 표준화했다. 타로상담전문가의 기초, 기본, 중급의 내용 모두를 한눈에 확인해 볼 수 있는 고급 전문서이다. 강의를 위한 강사들도 많이 참고하고 있는 베스트셀러이다.

(5) 심볼론카드 상담전문가(2쇄)

저자 이미정 외	**출판사** 하움출판사
발행일 2023년 5월 19일	**사양** 신국판

심볼론카드는 마음의 상처를 해결하는 경험을 우리에게 제공한다. 심볼론카드 실전 상담 사례뿐만 아니라, 전문 사용법을 이해하기 위한 12별자리 10행성을 포함한 4원소, 3대 특(자)질, 양극성을 자세히 설명해 놓았다. 점성학을 사용하는 방법과 점성학을 사용하지 않는 사용법 등도 자세히 소개되어 있으며 카드 한 장 한 장, 총 78장의 최지훤 대표 저자의 전문 해설도 수록되었다.

(6) 마르세이유 타로카드상담전문가

저자 최지훤 외	**출판사** 해드림출판사
발행일 2020년 10월 1일	**사양** 162*231

타로카드의 어머니, 대표적인 정통 타로카드라고 이야기할 수 있는 마르세이유 타로카드에 대한 전문 기본해설서이다. 메이저카드 22장, 마이너카드 56장, 총 78장의 마르세이유 타로카드에 대해 4원소, 수비학의 설명을 포함하여 독자들이 쉽게 이해할 수 있도록 설명했으며, 실전 상담의 사례도 수록하여 누구나 쉽게 타로상담을 할 수 있는 노하우를 제시해 준다.

(7) 학교 타로상담&NLP상담: 기본편(2쇄)

저자 이미정 외	**출판사** 하움출판사
발행일 2023년 5월 19일	**사양** 신국판

국내 최초로 교원, 학부모, 상담사들이 성공적으로 진행한 학교 교육 현장에서의 타로 실전 상담을 수록하고 있는 타로상담&NLP상담 기본 전문서이다. 한국교원연수원(http://www.hstudy.co.kr) 교원 및 일반인 대상 타로상담 전문가 자격 연수의 교재이기도 하다. 타로카드 한 장, 한 장의 의미와 함께 기본적인 실전 상담과 연계할 수 있는 노하우, 전문가로 나아가기 위한 팁을 수록했다.

(8) 컬러타로카드 상담전문가 (책 & 카드)

저자 최지훤 외	**출판사** 하움출판사
발행일 2021년 8월 20일	**사양** 책+카드 세트

사람의 마음, 잠재의식과의 연결 고리, 내면과의 커뮤니케이션을 위해 컬러와 수비학적인 신비로움을 가미하여 컬러타로상담카드(COLOR TAROT COUNSELING CARD)가 제작되었다. 교육 현장 및 상담 현장에서 폭넓고 다채롭게 활용되고 있다. 수강생과 독자들은 한결같이 이야기한다. 서프라이즈라고....

(9) 타로상담의 정석: 기본편

저자 최지훤 외 **출판사** 하움출판사
발행일 2022년 10월 31일 **사양** 신국판

타로상담의 백과 사전의 기초편이라고 생각하면 된다. 유니버셜웨이트 타로카드 상담의 기본부터 마르세이유 타로카드, 컬러타로카드, 심볼론 타로카드, 데카메론 타로카드, 오쇼젠 타로카드 등 세계적인 타로카드를 국내 최초로 한곳에 모아 선보인 최지훤 타로그랜드마스터의 베스트셀러이다. 제목답게 타로상담의 정석(기본편)을 맛볼 수 있다. 발행 직후부터 후속 출판을 요청받는 타로상담 전문서이다.

(10) 데카메론 타로카드 상담전문가(3쇄)

저자 이미정 외 **출판사** 하움출판사
발행일 2023년 11월 23일 **사양** 신국판

14C 중엽인 1348년, 인문학의 대가인 보카치오가 흑사병을 주제로 저술한 데카메론이라는 책의 내용과 연계하여, 성인 데카메론 타로카드 전문 회사인 LO SCARABEO 사와 라이선스 계약을 통해 국내 최초 데카메론 타로카드상담전문가 책을 집필하게 되었다.

(11) 컬러수비타로카드

저자 이미정 외 **출판사** 하움출판사
발행일 2024년 8월 16일 **사양** 책+카드 세트

신이 인간에게 부여한 선물이며 타로카드의 상징을 대표하는 2가지 요소인 빛(光)과 수(數)!!! 컬러(COLOR)와 수비학(數秘學)을 제대로 이해하고 접목할 수 있는 타로전문가라면 다양한 타로카드를 능숙하게 사용할 수 있게 될 것이다. 바로 『컬러수비타로카드(Color Numerology Tarot Cards)』는 컬러(COLOR)와 수비학(數秘學)을 특화한 연구 결과이며, 타로상담전문가로 이끄는 도구로 사용될 것이다.

2. 만다라 전문서적

(1) 만다라 명상 & 타로카드를 기반으로 한 『만다라 코칭&실제』

저자 이미정 외 **출판사** 메이킹북스
발행일 2023년 7월 7일 **사양** 신국판

물질 문명이 발달할수록 우리의 정신적 영역은 나날이 피폐해지고 있는 현실이다. 『만다라 코칭 & 실제』가 우리의 삶 특히, 학교 현장에서 마음의 영역에 빛을 비추는 계기가 될 것이라 믿는다. 자신의 마음을 깊숙이 들여다보고, 치유할 수 있는 첫걸음이 될 이 책을 강력히 권한다.

(2) 만다라 명상 & 타로카드 (책 & 카드)

저자 이미정 외 **출판사** 하움출판사
발행일 2023년 9월 22일 **사양** 신국판

『만다라 명상&타로카드』는 최고의 타로상담 전문가와 만다라 전문가가 '카발라, 오컬트적인 신비주의의 의미 가미하여 22장의 메이저 카드와 56장의 마이너 카드, 총 78장의 타로카드로 수년간 기획, 직접 그려 제작'한 심혈을 기울인 세계적인 작품이다.

(3) MBTI 타로카드 (책 & 카드)

저자 이미정 외 **출판사** 하움출판사
발행일 2024년 2월 5일 **사양** 신국판

MBTI 16가지 성격 유형에 타로카드의 신비주의적 요소를 가미한 - 세계 최초 "MBTI 타로카드" - MBTI & TAROT & OCCULT(SYMBOL & 4 ELEMENTS & NUMEROLOGY etc.)!!! 수년간의 기획과 제작 기간!!! 직접 종이에 그려 만든 웅장한 78장!!! 대학 심리학 교수 & 심리학 박사, 상담심리학 박사, 미술치료 박사, 타로 그랜드 마스터, MBTI 전문 강사 & 그 외 전문가들의 COLLABORATION!!!

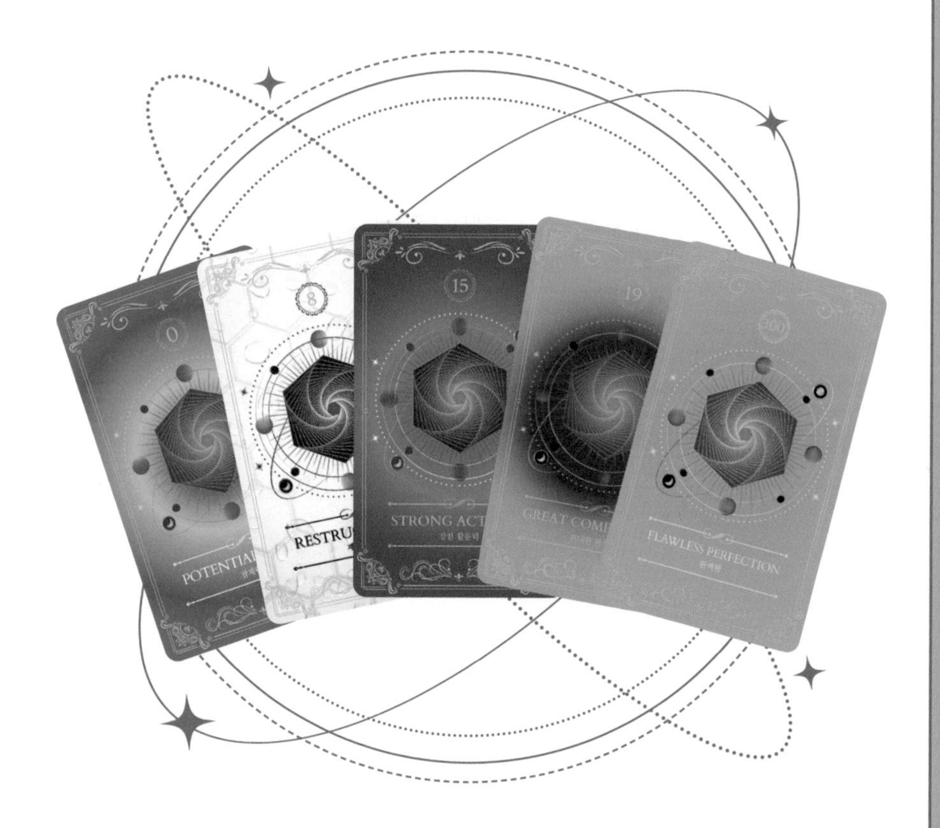

0
8
15
19
100
FLAWLESS PERFECTION

타로카드의 상징을 대표하는 2가지 요소가 바로 빛(光)과 수(數)이다. 이 빛과 수는 세상이 열리는 태초에 신이 인간에게 부여한 선물이다. 진정한 타로 상담 전문가로 나아가기 위해서는 이 빛과 수의 신비로움을 정확히 이해하고 접목하는 노하우가 요구되는데, 이것이 바로 컬러(COLOR)와 수비학(數祕學)의 전문적인 이해가 필요한 이유이다.

컬러(COLOR)와 수비학(數祕學)을 제대로 이해하고 접목할 수 있는 타로 전문가라면 전 세계의 다양한 타로카드를 능숙하게 사용할 수 있게 된다.

바로 컬러수비타로카드(Color Numerology Tarot Cards)는 이런 컬러(COLOR)와 수비학(數祕學)을 특화하여 컬러, 수비학, 타로카드, 상담 전문가들의 오랜 시간 동안의 연구 결과이며, 많은 타로 초보자를 타로 상담 전문가로 이끄는 도구로 사용될 것이다.

『컬러수비타로카드(Color Numerology Tarot Cards)』 공저, 자문들은 '왜

컬러수비타로카드(Color Numerology Tarot Cards)가 필요할까?'라는 공통된 분모를 가지고,

1. 태초부터 신비로움을 간직한 컬러(COLOR)와 수(數)에 대해 안내하고, 실생활 삶에 적용할 수 있도록 도와 현재보다 더욱 밝은 미래를 설계할 수 있게 한다.

2. 타로카드의 비의(祕意)적인 의미와 컬러(COLOR) & 수(數)와의 융합을 통한 현시대 흐름과 개인별 상황에 맞는 매력적인 기법 도입, 접목하여 밝은 에너지를 얻고 긍정적인 방향으로 나아가게 한다.

라는 연구 목적을 달성하기 위해 수년간 전문 영역에서의 많은 노력을 기울였다.

컬러수비타로카드(Color Numerology Tarot Cards) 연구팀은 계속적인 연구로 추후 『타로 수비학』 전문편, 실전편 등을 선보일 예정이다.

『컬러수비타로카드(Color Numerology Tarot Cards)』가 건강한 세상, 밝은 세상, 아름다운 세상, 사랑하는 세상을 만드는 데 조금이나마 도움이 되면 좋겠다는 것이 우리 『컬러수비타로카드(Color Numerology Tarot Cards)』 전문가 & 공저의 하나 된 마음이다.

세계 최초 - 컬러수비타로카드(Color Numerology Tarot Cards)

저자 & 자문 일동

본 『컬러수비타로카드』의 오류가 발견될 경우,
다음 카페
【한국타로&NLP상담전문가협회 / 한국만다라심리상담협회】
http://cafe.daum.net/KANLP 에 공지하도록 한다.
또한, 카페에서 타로상담전문가로 나아가는 실전 상담 및
많은 정보를 얻을 수 있을 것이다.

『컬러수비타로카드』 는 초보자를 위한 기본 전문 내용 및
민간 자격 2급 과정 내용의 일부로 구성되어 있습니다.
컬러타로, 수비타로에 대한 전문적인 고급 내용은
전문가 자격을 소지한 트레이너의 전문교육기관에서 진행됩니다.

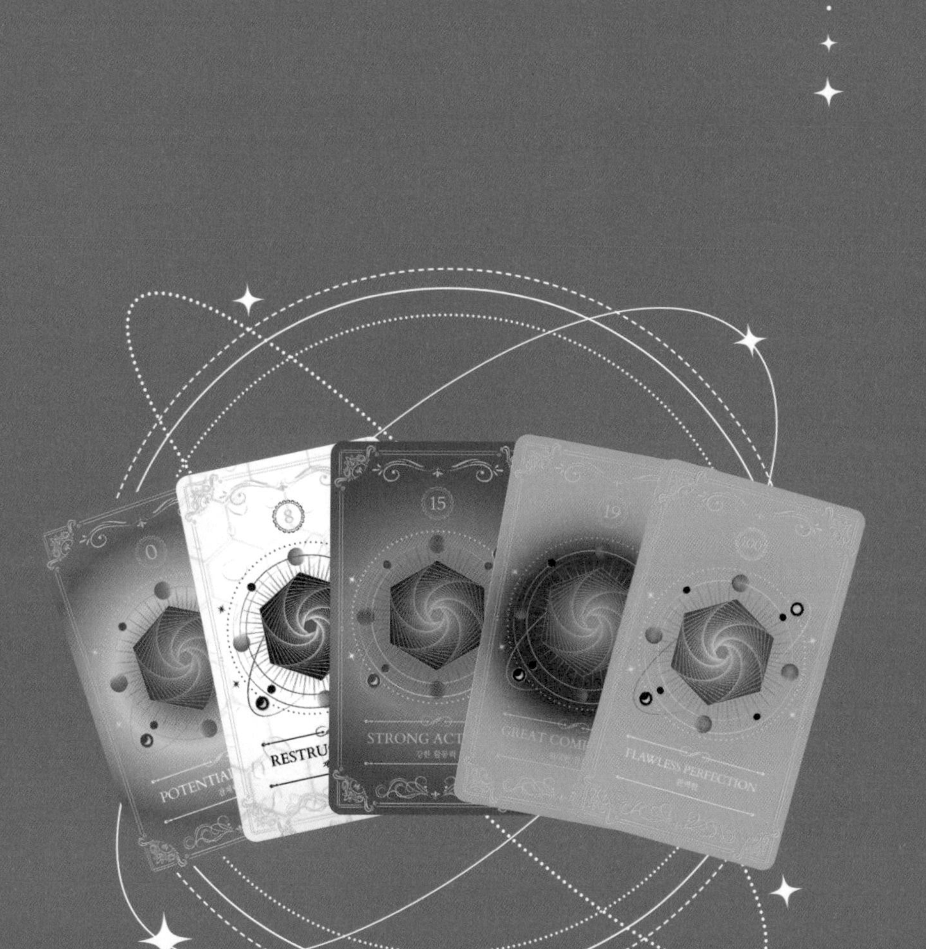
0
8
15
19
FLAWLESS PERFECTION

컬러수비타로카드

1판 1쇄 발행 2024년 8월 16일

저작권 이미정
지은이 이미정, 우수옥, 김은미, 박경화, 소난영, 정보나, 장혜선, 모연미, 민현숙, 김연선
디자인 스튜디오 그을림

교정 신선미 **편집** 김다인 **마케팅 · 지원** 김혜지

펴낸곳 (주)하움출판사 **펴낸이** 문현광

이메일 haum1000@naver.com **홈페이지** haum.kr
블로그 blog.naver.com/haum1000 **인스타그램** @haum1007

ISBN 979-11-6440-657-9(13180)

좋은 책을 만들겠습니다.
하움출판사는 독자 여러분의 의견에 항상 귀 기울이고 있습니다.
파본은 구입처에서 교환해 드립니다.